COMMENT
L'ÂME
SE RÉINCARNE

ÉLIE LELUS

COMMENT L'ÂME SE RÉINCARNE

EDIMAG
PRÈS DU PUBLIC

Ce livre est la réédition de *Vivez mieux en connaissant vos vies antérieures*, paru en 1994.

C.P. 325, Succursale Rosemont, Montréal (Québec), Canada H1X 3B8
Téléphone: (514) 522-2244 – Courrier électronique: info@edimag.com
www.edimag.com

Éditeur: Pierre Nadeau
Dépôt légal: premier trimestre 2005
Bibliothèque nationale du Québec – Bibliothèque nationale du Canada

© 2005, Édimag inc.
ISBN: 2-89542-156-0

Québec ⠿   **Canadä**

L'éditeur bénéficie du soutien de la Société de développement des entreprises culturelles du Québec pour son programme d'édition.

Nous reconnaissons l'aide financière du gouvernement du Canada par l'entremise du Programme d'aide au développement de l'Industrie de l'édition (PADIÉ) pour nos activités d'édition.

TABLE DES MATIÈRES

NE JETEZ JAMAIS UN LIVRE

La vie d'un livre commence à partir du moment où un arbre prend racine. Si vous ne désirez plus conserver ce livre, donnez-le. Il pourra ainsi prendre racine chez un autre lecteur.

DISTRIBUTEURS EXCLUSIFS

Pour le Canada et les États-Unis
LES MESSAGERIES ADP
955, rue Amherst
Montréal (Québec) CANADA   H2L 3K4

Téléphone: (514) 523-1182 / Télécopieur: (514) 939-0406

Pour la Suisse
TRANSAT DIFFUSION
Case postale 3625
1 211 Genève 3   SUISSE

Téléphone: (41-22) 342-77-40 / Télécopieur: (41-22) 343-46-46
Courriel: transat-diff@slatkine.com

Pour la France et la Belgique
DISTRIBUTION DU NOUVEAU MONDE (DNM)
30, rue Gay-Lussac
75005 Paris   FRANCE

Téléphone: (1) 43 54 49 02 / Télécopieur: (1) 43 54 39 15
Courriel: liquebec@noos.fr

QUI EST
ÉLIE LELUS?

É lie Lelus est un homme étonnant dont les nombreux talents sont reconnus par des centaines de personnes qui l'ont consulté au fil des années. D'ailleurs, ses 50 ans de recherches, d'expériences et de consultations montrent bien que sa carrière n'aurait pu être si longue — et si riche — s'il n'avait pas obtenu des résultats brillants. Mais sans doute est-ce cette désinvolture avec laquelle il aborde ses sujets qui déconcerte un peu qui l'écoute.

Mais qui est donc Élie Lelus?

Outre le fait qu'il soit l'une des rares personnes au Canada et en France à se pencher sur les problèmes des âmes errantes, non désincarnées, en souffrance, et de leur influence sur le monde des vivants, Élie Lelus est apprécié pour sa simplicité et la compétence avec laquelle il aborde de multiples sujets qui nous intriguent tous à un moment ou à un autre de notre vie: l'aura, les mauvais sorts, les effets des énergies cosmiques, le karma et, bien sûr, le phénomène des vies antérieures.

Médium en transe à la façon d'Edgar Cayce, il accorde des consultations qui ont, en quelque sorte, valeur de thérapies. « Vous savez, dit-il, lorsque je suis en transe, ce sont ceux que j'appelle mes Maîtres spirituels qui me révèlent les vies antérieures des personnes qui me consultent; et certains des événements qui sont portés à ma connaissance ont une relation de cause à effet sur leur vie actuelle. C'est en fonction de cette donnée que je travaille avec le processus des vies antérieures. »

«À partir des informations que je découvre, il devient dès lors plus facile de comprendre et de faire disparaître les blocages, les phobies, les tendances suicidaires, le stress même, ou le mal de vivre, autant de choses et de situations qui freinent notre croissance et notre évolution personnelle et spirituelle. En agissant ainsi, cela nous permet de retrouver une paix intérieure bienfaisante et de poursuivre aussi, et peut-être surtout, notre évolution.»

Élie Lelus maîtrise différentes techniques; il interprète ainsi les couleurs de l'aura qui déterminent, depuis notre enfance à aujourd'hui, les éléments positifs qui nous animent et la manière dont nous pouvons les mettre à profit; il nous prévient aussi des risques d'opposition, des influences négatives.

Toutefois, ce qui passionne visiblement l'homme, c'est l'utilisation des énergies pour la maîtrise du sixième sens. Non seulement a-t-il recours à ces énergies en consultation mais, en plus, il dirige des séminaires et des ateliers sur le sujet. Intitulé «Initiation et utilisation des énergies pour la maîtrise du sixième sens», son enseignement, en accord avec les lois cosmiques, vise le mieux-être de la personne et l'utilisation optimale de ses énergies. Il montre, entre autres, comment comprendre ses blocages afin d'éliminer toute anxiété; comment reconnaître ses énergies positives et négatives, et éveiller ses points d'énergie pour atteindre les plus hautes pensées spirituelles; et finalement, comment développer sa perception de l'aura de manière visuelle, auditive, intuitive et émotionnelle.

Il nous offre aujourd'hui ce premier livre dans lequel il fait un résumé concis de la connaissance et des différents enseignements qu'il a acquis tout au long de sa vie; il nous parle de nos vies antérieures, de la façon dont il peut entrer en transe pour découvrir des indices sur les événements qui provoquent en nous certaines perturbations, donc de la valeur thérapeutique de ces expériences. Il nous fait également part des résultats et de l'analyse de plusieurs cas dans lesquels il est intervenu. Et il nous parle, bien sûr, de la loi karmique qui est à la base de tout ce processus.

Il ne fait nul doute que le lecteur retirera beaucoup de cette «aventure» passionnante — et étonnante — dans laquelle il nous entraîne.

L'ÉDITEUR

AVANT-PROPOS
LES TROIS LOIS

N otre monde physique répond à des lois immuables. Il en va exactement de même pour le monde mental et spirituel. Des lois existent et nous n'avons d'autres choix que de nous y conformer.

LA PREMIERE LOI
Nous choisissons nos parents. Vous avez choisi votre père et votre mère en fonction d'une autre vie et vous devez les accepter tels qu'ils sont avec leurs qualités et leurs défauts parce que c'est vous qui les avez choisis. Lorsque vous acceptez vos parents, vous ne pouvez plus mettre la faute sur eux parce que c'est vous qui les avez choisis. Vous ne pouvez alors que vous prendre en main. Tant qu'on a une possibilité de rejeter la faute sur quelqu'un d'autre, automatiquement, on refuse de se prendre en main. Cette loi est très importante, elle est valable dans toutes les situations.

LA DEUXIEME LOI
À la naissance, il y a une couleur dominante qui se dessine autour du corps, c'est la couleur de l'aura. Dans le

principe de Newton, couleur = vibration = énergie. Vous
dégagez une énergie, vous dégagez une vibration et cette
vibration a une couleur. La couleur de l'aura imprègne
notre corps, imprègne nos pensées et à partir de ces
couleurs, on peut très bien détecter quels sont les points
positifs aussi bien que négatifs. Si je vous parle du rouge,
du violet mélangé de rose, etc., cela ne vous amène à
rien, alors je vous donne plutôt les correspondances de
ces couleurs avec des mots.

Mêlé aux couleurs, vous avez l'esprit. L'esprit est pur,
c'est une étincelle de Dieu qui nous donne la vie. L'esprit
étant pur, si un petit point noir atteint l'esprit, l'esprit
meurt. Mais comme l'esprit est immortel tout comme
Dieu est immortel, il ne peut pas mourir. Alors l'esprit
s'entoure de l'âme qui a pour rôle de le protéger. L'âme
est elle-même entourée du mental qui est l'ordinateur le
plus perfectionné qui puisse exister.

Or, le mental a trois paliers. Le palier supérieur,
quand nous faisons une action pour nous, pas pour les
autres, nous mettons alors une pensée pure autour de
l'âme, j'appelle cela mettre un diamant sur l'âme. Le
mental neutre, qui est ni pour ni contre, il est neutre. Ce
n'est pas mauvais, c'est neutre. On ne fait aucune action
pour soi, mais on ne fait rien de négatif non plus. Et le
mental inférieur, sitôt qu'on l'appelle, il vient. Cela
correspond à la facilité, ce sont nos défauts. Le mental
inférieur cherche à nous détruire et non à nous construire.

Je vous parle du mental, parce que chaque geste,
chaque mouvement, chaque pensée de l'arrière de
l'arrière pensée est enregistrée dans le mental. Et comme
énergie = vibration = couleur, ces gestes, ces mouve-

ments, ces pensées dégagent une couleur. Et comme tout est enregistré dans le mental, le moment venu, il nous le restituera. C'est pourquoi nous nous retrouvons toujours avec les mêmes problèmes. Le mental va vous dire dans le positif, c'est bien, et dans le négatif, il va vous dire oui c'est très bien, continue. C'est pour cela que dans toutes les religions, il est dit que le péché de pensée est le plus grave parce que nous pensons qu'il n'y a que nous qui le savons, et nous, c'est tout de même une personne de trop.

LA TROISIEME LOI

La dernière pensée que nous avons avant de mourir a un effet direct sur notre vie suivante. Cette dernière pensée est la cause et dirige notre vie actuelle. Cette dernière pensée n'est pas calculée, elle n'est pas préparée à l'avance. C'est une pulsion qui part sans que la volonté y soit pour quelque chose. C'est le résumé de notre vie, c'est ce qui nous a blessé et qui sort spontanément au moment de la mort. Cette dernière pensée est enregistrée dans le mental et constitue le karma. Tant que l'on n'aura pas résolu cette pensée, les actions que nous avons faites dans cette dernière vie vont être notre mémoire et vont se retourner contre nous dans le négatif et aussi jouer à notre avantage dans le positif.

Voilà quelles sont les trois lois qu'il faut comprendre si vous voulez tirer profit de la lecture de vos vies antérieures. Vous aurez peut-être l'impression que les autres peuvent faire quelque chose pour vous et ce n'est pas vrai, c'est vous qui êtes aux commandes. C'est vous qui pouvez aller plus loin. C'est vous qui décidez de votre avenir.

LE CAS D'ANNIE

Annie, une belle jeune femme, esthéticienne, souffrait depuis l'âge de 6 ans d'une terrible peur du noir et elle était incapable de rester sans éclairage violent la nuit tombée, tant l'angoisse la prenait. Elle avait consulté de nombreux spécialistes, sans succès. De plus, elle ne s'entendait pas du tout avec ses parents envers lesquels elle ressentait une rancune profonde. Elle décida de prendre rendez-vous avec Élie Lelus.

En transe, Élie Lelus lui raconta que dans une vie passée, au Canada, sa mère prise d'hémorragie et perturbée émotivement était morte peu de temps après lui avoir donné la vie. Son père, un homme ivrogne et taciturne, lui reprochait continuellement d'avoir causé la mort de sa mère. La jeune fille fut élevée avec négligence par l'entourage et quitta le foyer paternel à l'âge de 18 ans, incapable de supporter davantage les reproches de son père.

Désespérée, elle se réfugia dans une communauté religieuse et prononça ses voeux, croyant «laver sa faute» et trouver enfin la paix de l'esprit. Mais même une vie consacrée à la prière n'arriva pas à effacer le sentiment de culpabilité qui la rongeait. Si bien qu'à 40 ans, elle décida de quitter la vie religieuse. Jolie femme, elle commence alors à goûter aux plaisirs de la vie jusque-là inconnus. D'aventures en aventures, elle mène une vie galante qui finit par l'enrichir sur le plan matériel, mais elle ne réussit pas à s'affranchir de sa culpabilité et elle déteste toujours autant son père qui l'a rejetée.

Vers l'âge de 63 ans, elle fait un geste surprenant. Elle prend une décision. Elle reprend le voile et passe le reste de sa vie à prier. Elle meurt à 71 ans, renversée par un cheval, en criant au ciel. Ciel qui ne semble jamais l'avoir écoutée. Pourquoi en est-il ainsi?

Dans une autre vie, elle est encore au Canada. Elle est un homme qui bûche en forêt. Cela semble confirmer le fait que l'on puisse se réincarner en homme ou en femme, selon le type de vie et d'expérience que l'on doit vivre.

Notre bûcheron vit depuis son enfance dans un environnement intact et merveilleux. Amoureux de la nature, il vit en étroite communion avec elle et se sent très près des éléments. Or, un jour, des citadins viennent s'établir à proximité de son domaine. Moins conscients de la beauté et de la valeur des lieux, il ne font pas attention, ils dérangent la tranquillité de la forêt. Ils saccagent les arbres et polluent l'endroit. Le bûcheron a beau leur dire de faire plus attention, ils se moquent de lui et ils le chassent sans ménagements.

Le bûcheron décide alors de faire peur à ces citadins sans respect. La nuit tombée, il fait des bruits étranges dans les bois tout autour. Il secoue les buissons et fait croire à la présence d'esprits maléfiques. Finalement, terrorisés, les citadins désertent la région. Satisfait , le bûcheron est de nouveau maître de son territoire. Mais à sa grande surprise, il n'arrive plus à se sentir en communion avec la nature. Comme si l'esprit de la nature était parti avec les citadins.

Il décide alors de partir à la recherche de ces gens qu'il a chassés en pensant que s'il avoue, il pourrait à nouveau retrouver le calme et le bonheur intérieur. Ses aveux eurent cependant l'effet inverse. Les citadins eurent encore plus peur de lui et l'identifièrent désormais à leurs difficultés et déboires. Une femme en colère saisit un fusil et l'abattit.

EFFET LIBÉRATEUR
EN TRAITANT LA CAUSE, ON DÉRACINE LE PROBLEME

Le récit de ces deux vies a permis à Annie de comprendre l'origine de ses troubles. Dans la première vie, elle avait été rejetée par son père et dans la deuxième, elle avait provoqué la peur chez les citadins en utilisant des moyens enfantins, mais efficaces. Ces événements se répercutaient dans sa vie actuelle, et selon la loi de cause à effet, elle ressentait une rancune incompréhensible envers ses parents actuels, et la peur provoquée autrefois chez les autres lui revenait sous forme de cette phobie de l'obscurité. Aussitôt qu'elle eut compris cela, elle cessa d'en vouloir à ses parents et elle arrêta d'avoir peur de l'obscurité.

Ces résultats s'apparentent à ceux obtenus avec la psychanalyse. Lorsqu'un traumatisme est oublié et enfoui dans la mémoire et le subconscient, il peut provoquer des troubles de comportement ou des problèmes psychosomatiques. Lorsqu'on les ramène à la conscience, nous nous en libérons et les troubles disparaissent rapidement.

-1-

CROIRE
OU NE PAS CROIRE

S i certains peuples, comme les Orientaux ou les Asiatiques, croient depuis des siècles en la. réincarnation, il faut tout de même concéder qu'en Occident nous sommes de plus en plus nombreux à croire en l'existence du phénomène des vies antérieures et cela, au moment où nous nous apprêtons justement à pénétrer dans l'ère du Verseau. Même ceux qui ont longtemps balayé d'un revers de main l'idée de la réincarnation se questionnent maintenant sur le sujet, ne sont plus aussi arrêtés dans leurs idées et en viennent même parfois à songer ou à évoquer leurs vies passées.

Il faut bien l'admettre: la réincarnation est un sujet qui ne peut pas nous laisser indifférents. Comme la régression qui nous permet d'en prendre conscience. Et ce n'est pas parce que certains croient que la réincarnation et la régression sont une fumisterie à mettre dans le même sac que nombre de «sciences ésotériques» qu'il ne faut pas y croire. D'ailleurs, ceux qui ont eu la chance de vivre une véritable régression croient en l'existence de vies antérieures parce qu'ils se sont effectivement

aperçus qu'il se «passait» quelque chose. Ces gens, dits
normaux, des gens équilibrés et sains, se sont réellement
vus vivre à d'autres époques, dans d'autres civilisations;
ils se sont vus revêtus d'habits qui leur étaient inconnus,
parler des langues dont ils ne soupçonnaient même pas
l'existence, être dans un univers inconnu, et parfois
déroutant.

Il faut cependant ne pas se méprendre, ne pas croire
que ceux qui ont vécu une véritable régression se sont
aussitôt reconnus en un quelconque personnage célèbre
qui a marqué l'histoire. C'est faux. D'ailleurs, il faut bien
le noter, seule la première régression est véritablement
significative puisque, bien souvent, les suivantes ne sont
que la conséquence de nos fantasmes. Avant même d'en-
tamer la régression, beaucoup de gens ont tendance à
vouloir déterminer qui ils veulent être, et ce qu'ils veulent vivre, ce qui n'est pas nécessairement le cas lors de
la première fois. La majorité de ceux qui ont vécu cette
aventure dans le temps se sont retrouvés dans la peau de
bien des gens qui étaient de tout sauf de l'élite ou de
l'aristocratie; certains étaient esclaves, garçons d'écurie,
filles de ferme, soldats et qui d'autres encore de bien
ordinaires. Il peut toutefois effectivement arriver, occa-
sionnellement, que certains se découvrent des destins
particuliers, des existences marquées du sceau de la
gloire et de l'opulence, mais il faut bien admettre que ce
sont là des cas particuliers et rarissimes. Dans la majorité
des cas, ces gens étaient comme vous et moi, c'est-à-dire
des gens aussi ordinaires qu'ils peuvent l'être aujourd'hui.

PARFAIRE SON ÂME

Avant de mener plus loin cette aventure dans les vies antérieures à laquelle je vous convie, il faut d'abord comprendre quelques notions de base. Entre autres, que notre incarnation actuelle n'est finalement que le résultat de ce que nous avons été dans nos vies passées — c'est ce que les bouddhistes appellent le karma. Nous avons donc déterminé nous-mêmes les conditions de notre retour sur terre, en fonction de ce que nous avons fait dans la vie précédente. C'est ce que l'on appelle la relation de «cause à effet».

Nous avons fait, nous sommes devenus. Nous serons. Car la théorie de la réincarnation est justement qu'il faut revenir sur terre aussi souvent que nécessaire pour parvenir à parfaire son âme et atteindre l'étape ultime qu'est le nirvana, aussi appelé la réalisation de soi.

Pour comprendre plus facilement le processus qui régit la réincarnation, on peut établir un parallèle avec l'école: si l'on a bien travaillé et réussi un niveau, on passe à un degré supérieur, de la cinquième à la sixième année, par exemple. Si l'on n'a pas fait les efforts qui s'imposaient, on redouble de classe et on reprend le programme raté, non sans toutefois conserver un certain bagage de ce premier passage. Au niveau de la réincarnation, il en est exactement de même. Comme en classe, il peut parfois arriver que l'on «saute» une année si l'on a été particulièrement brillant. Mais — attention! — être brillant n'a pas nécessairement ici la même connotation que dans notre mode de vie contemporain.

Être «brillant», signifie ici faire le bien. Plus on fait le bien, plus on est positif et plus on éprouve de l'amour pour son prochain. De ce fait, on a plus de chance de progresser rapidement sur le plan de la spiritualité. Au contraire, celui qui se sera rendu coupable de mauvaises actions sera en quelque sorte condamné à en payer le prix à plus ou moins brève échéance, et même à devenir victime à son tour pour expier le mal qu'il a fait.

C'est ce qui explique la nécessité de revenir sur terre aussi souvent que nécessaire pour parfaire son âme, avant de passer au plan supérieur débarrassé de ses travers humains.

Au-delà de toutes ces considérations, une chose demeure essentielle: il faut éliminer son égo négatif. En d'autres mots, il ne faut pas tricher avec soi-même. Tout cela, bien sûr, n'est possible que grâce à une réelle prise de conscience de soi.

La réincarnation nous permet donc de comprendre le but et le sens de notre vie. Chacun finira par découvrir que la vérité qu'il cherchait si ardemment se trouvait au-dedans de lui-même, et il réalisera alors l'importance de son âme. Notre expérience, à travers les vies que nous vivons, nous apprend que l'âme est immortelle et que la conscience subsistait en dépit de tout. Ce ne sont finale-ment que les perceptions de cette connaissance qui chan-geaient; la vérité, elle, demeure la même. La mort n'est donc pas une fin, mais plutôt un début engendrant un nouveau cycle de vie. Lorsque l'âme renaît sur Terre, un nouveau cycle débute à un niveau de conscience diffé-rent, et les événements vécus au cours d'une de ses vies ont un effet sur les vies suivantes.

Croire en la réincarnation, c'est donc croire à la vie après la mort.

MODIFIER OU POURSUIVRE?

Lorsque notre âme renaît dans un nouveau corps ce n'est pas par simple caprice, mais bien dans le but de nous permettre d'acquérir une plus grande connaissance, de mieux comprendre nos émotions et de bonifier les actions négatives de nos vies antérieures. Au cours de ces vies successives, nous assimilons en quelque sorte les leçons du karma, mais tout en conservant le savoir que nous avons acquis au cours des existences précédentes. En acquérant une plus grande connaissance et en perfectionnant notre âme, nous parvenons à une union spirituelle avec une conscience supérieure.

Lors de notre passage d'une vie à l'autre, nous revivons certains événements ou certaines expériences que nous avons vécus précédemment. C'est ce que l'on appelle le karma, qui se traduit par la loi de «cause à effet». C'est d'ailleurs ce que j'évoquerai dans les cas que je citerai car, s'attarder aux différentes vies de chaque sujet, demanderait évidemment un ouvrage beaucoup plus volumineux. À chaque instant de chacune de nos vies, nous sommes responsables de notre destin. Ce sont nos pensées, nos gestes et nos sentiments qui provoquent les événements. Lorsqu'on fait l'expérience du karma, on vit simplement l'effet — ou le résultat — de nos pensées,

de nos gestes et de nos sentiments reliés à nos vies antérieures.

Plus notre âme évolue, plus nous devenons conscients des événements dont nous avons été la cause. Le
«retour» dans une nouvelle vie nous donne alors l'occasion de modifier nos actions antérieures ou, au contraire,
de poursuivre sur la même voie dans une vie future.
Chaque existence qu'il nous est donné de vivre nous
permet donc de profiter de ce que vous avons déjà appris,
d'accroître notre savoir, tout en nous obligeant à assumer les conséquences de nos actes.

À partir du moment où nous acceptons la responsabilité de nos attitudes et de nos comportements dans nos
vies antérieures, nous pouvons dès lors modifier positivement notre existence actuelle. Nos pensées et nos
gestes seront en quelque sorte conditionnés par les résultats que nous avons déjà connus. Et comme nous cherchons tous à améliorer notre existence présente, nous
prenons conscience que nous avons le pouvoir de contrôler les événements de notre vie, que nous sommes seul
maître de notre destin.

En comprenant mieux notre vécu, en cherchant les
comment et les pourquoi des événements qui survien-
nent, en découvrant qui nous étions auparavant et
comment nos expériences vécues ont déterminé ce que
nous sommes aujourd'hui, nous pouvons faire un pas de
géant. Non seulement dans la compréhension de notre
vécu actuel, des événements, des situations et des relations humaines de notre vie présente, mais aussi dans la
résolution des difficultés et des problèmes auxquels nous

sommes confrontés, tout aussi bien sur le plan physique que psychologique.

C'est là tout l'intérêt de la réincarnation et de la régression, car cette dernière nous permet de prendre conscience de ce vécu avec beaucoup plus d'acuité.

-2-

LA LOI DE «CAUSE À EFFET»

U n terme revient très souvent lorsqu'on parle de réincarnation et de régression, celui de «karma», mot sanskrit qui signifie «action» mais qui se comprend mieux lorsqu'on le définit comme la loi de «cause à effet», ou encore de «choc en retour». Nous en avons glissé quelques mots précédemment, mais j'y reviens puisque c'est ce principe qui guide le processus de la réincarnation.

Selon cette «loi», les actions de nos vies antérieures ont un effet dans le présent. Il faut cependant dire que cette loi du karma, parfois appelée loi du châtiment, a été apprêtée à toutes les sauces; résultat, elle a souvent été mal interprétée et mal comprise. Notre karma peut aussi bien être positif que négatif, selon ce que nous avons fait dans nos vies antérieures: nous sommes les seuls responsables de notre karma. Aussi, pour le comprendre et l'équilibrer, il est essentiel de savoir — et surtout, d'admettre — que nous sommes responsables du bien comme du mal, du bon comme du mauvais, de la beauté comme de la laideur.

Et puisque nous sommes nous-mêmes les créateurs de notre karma, nous sommes donc les seuls à pouvoir le modifier.

Lorsqu'on parle d'équilibrer son karma, il s'agit de prendre toutes formes de sentiments négatifs, de les vaincre et de les mettre à nos pieds, afin de libérer le positif que nous avons en nous. Nous agissons donc sur des causes qui ont des effets dans le présent. Car les événements que nous vivons dans notre vie présente ne sont finalement que le résultat des effets des pensées, des gestes et des sentiments que nous avons eus dans nos vies antérieures, bref, que les répercussions d'actions que nous avons mises en branle.

Si notre karma nous paraît parfois injuste, si la vie semble nous éprouver plus souvent qu'à notre tour, avant de blâmer les autres, il faut plonger en nous-mêmes et explorer nos vies antérieures pour en découvrir la raison. Heureusement, toutefois, le karma n'est pas immuable; c'est même tout le contraire puisque c'est un principe toujours en mouvement et en évolution. Et s'il paraît immérité, inacceptable et difficile à vivre, nous pouvons le modifier par nos pensées, nos gestes et nos sentiments. En acceptant d'assumer la responsabilité de notre karma, nous nous donnons en quelque sorte l'énergie et le pouvoir de l'équilibrer.

Voici le résultat d'une consultation menée auprès d'un homme qui avait de la difficulté à s'assumer, qui vivait avec de nombreuses peurs ancrées en lui, mais dont la connaissance de certains faits reliés à l'une de ses vies antérieures a grandement aidé à améliorer sa vie présente. Une fois entré en transe, voici ce que j'ai découvert:

« Cette vie antérieure qui a une relation de cause à effet sur votre vie présente remonte a 1871, vous aviez alors 58 ans… Vous vivez en Italie et pratiquez en quelque sorte le métier de tueur à gages.

« Vous êtes un homme grand, bien bâti, un homme à l'existence discutable, mais régulière, vous aimez le contact avec les autres et si vous avez choisi ce métier c'est simplement que vous y avez été poussé par les circonstances. Aussitôt sorti de l'orphelinat, vous avez subi l'influence de mauvaises personnes.

« Dans cette vie antérieure, vous êtes au service de certaines personnes qui vous indiquent vos victimes, des gens chez qui vous devez prendre certains objets ou certains documents, selon le cas. Vous tuez ensuite les personnes pour brouiller les pistes et faire croire à un crime gratuit. Mais, en réalité, vous ne perpétrez vos crimes que dans des buts précis.

« Un jour, avant d'exécuter un nouveau contrat, certains sentiments semblent émerger. Pour la toute première fois de votre vie, vous vous posez des questions et vous commencez à ressentir une certaine peur, un sentiment que vous n'aviez jamais connu.

« Malgré cela, vous cherchez à mener à bien ce nouveau contrat. Vous attendez la nuit, entrez dans la maison qu'on vous a désignée où vous tombez face à face avec une jeune femme qui vous demande ce que vous faites là. Mais elle ne vous laisse pas répondre… et vous dit elle-même le sort que vous lui réservez. Elle vous demande cependant si vous lui accordez le droit de jouer une dernière fois du piano avant que vous ne la tuiez. Ému, intrigué aussi par cette femme qui ne semble pas vous craindre en dépit du sort qu'elle appréhende, vous avez failli à votre tâche et êtes parti en vous contentant de voler les documents qu'on vous avait demandé de dérober, mais en épargnant la vie de cette femme.

« Le lendemain, lorsque vous êtes allé remettre les documents aux personnes qui vous avaient engagé, et qu'on vous a demandé si le nécessaire avait été fait, vous vous êtes contenté de répondre que les documents étaient là. Les personnes en question ont payé et, pour la première fois, lorsque vous avez pris l'argent qu'on vous tendait, vous saviez ce que vous alliez en faire. Vous l'avez mis dans une enveloppe et l'avez porté chez cette femme que vous aviez rencontrée.

« Revenu chez vous, vous avez réalisé pour la première fois que vous pouviez voler sans être obligé de tuer. Vous avez commencé à réfléchir sur votre vie, à en faire en quelque sorte un bilan. Puis on a frappé à votre porte. Lorsque vous avez ouvert, un inconnu — membre d'une mafia — vous a poignardé à mort. Votre dernière pensée a été consacrée à toutes ces personnes qui avaient été vos victimes: «Je regrette tout ce que j'ai fait, et si seulement un jour l'occasion se présente je rattraperai mes erreurs.» Et vous êtes mort. »

Lorsque j'ai demandé à cet homme que j'avais en face de moi si ces faits tirés d'une existence antérieure pouvaient signifier quelque chose dans sa vie présente, s'il pouvait en retirer une leçon, s'il pouvait établir un parallèle avec aujourd'hui, il m'a aussitôt confié: « Je suis gardien de prison, ma vie est un drame; les prisonniers me harcèlent sans arrêt, ils attendent de moi des choses impossibles. Et puis, en toute honnêteté, je vous dirai que j'ai peur. D'ailleurs, mes collègues connaissent mes sentiments, ils m'ont surnommé le lâche. Cela dure depuis des années, j'ai tout essayé, j'ai tout fait; je suis allé voir des psychologues, des gens qui pouvaient m'aider, mais personne n'a rien pu faire. À la suite de ce que vous venez de me dire, je commence à comprendre certains faits. »

Cet homme m'a téléphoné environ un an plus tard, pour me demander un nouveau rendez-vous, non pas pour une nouvelle consultation mais simplement pour me parler. Il était visiblement transformé et n'avait rien en commun avec celui qui était venu me consulter quelques mois plus tôt: « Vous savez, m'a-t-il dit, j'ai écouté et réécouté l'enregistrement des événements de cette vie antérieure et un jour j'ai eu le courage de dire non aux autres. Certains m'ont menacé, d'autres ont cessé de me parler, puis au bout d'un certain temps, tout le monde m'a fiché la paix. Mes collègues de travail ne me traitent plus de lâche. Je me suis imposé, doucement mais fermement, et j'ai compris mes erreurs. Je commence maintenant une nouvelle vie. »

Effectivement, dans cette vie antérieure cette personne n'avait dû son salut qu'au fait qu'elle s'était rendu compte qu'elle n'était pas obligée de tuer, et qu'elle en était intimement persuadée. Même si elle n'avait pu mettre à profit la leçon qu'elle avait apprise, une nouvelle chance de s'affirmer lui a été offerte dans cette vie présente. Cet homme a su découvrir l'origine de ses peurs et a su trouver les solutions qui s'imposaient pour les chasser de sa vie présente.

Il ne faut jamais l'oublier: en toutes occasions, nous sommes libres de choisir nos pensées, nos gestes et nos sentiments et, à partir de ce fait, la façon dont nous allons réagir.

C'est ce qu'on appelle le libre arbitre.

Et c'est avec notre libre arbitre que nous pouvons transformer la loi du karma. Exactement comme l'a fait cet homme, en maîtrisant ses peurs pour accéder à une vie plus calme et plus sereine.

N'oublions pas que nous subissons l'influence de la loi karmique dans une proportion de 70 pour cent, alors que 30 pour cent est laissé à notre libre arbitre.

L'homme est venu sur terre non pas pour régresser mais bien pour progresser. Et grâce à ce 30 pour cent de libre arbitre nous pouvons améliorer notre vie, trouver un équilibre et connaître la paix intérieure. Mais le contraire peut aussi s'appliquer... nous pouvons tout détruire et même nous créer un autre karma terrestre.

-3-

RIEN N'EST SANS RAISON

A vant la naissance, nous avons décidé de façon bien arrêtée, en accord avec nous-mêmes ou avec une autre âme, de vivre certaines expériences. En nous obligeant ainsi, nous avons décidé d'affronter certains événements particuliers, certains défis même. Lorsque cet événement se présente, notre réaction ne dépend plus alors que de notre libre arbitre; libre arbitre qui se manifeste dans le présent et qui nous donne la possibilité d'honorer ou non les engagements pris avant la naissance. De ce fait, de ces engagements que nous avons pris, nous comprendrons alors pourquoi la plupart d'entre nous croient que nous choisissons nos parents. Ceux-ci, grâce à l'amour qu'ils nous portent, seront plus aptes à de nous aider à vivre ce que nous avons à vivre.

Car toutes ces expériences que nous nous créons, nous les créons dans le but d'apprendre, d'évoluer, d'équilibrer notre karma, de profiter de nos réussites passées et, enfin, de développer notre connaissance et notre spiritualité. Il est donc entendu qu'en vertu d'un tel principe, accidents, hasard ou coïncidences n'existent pas. Autrement dit, rien ne se produit sans raison — même un accident, même une maladie, etc... sauf exception en cas d'accidents terrestres.

Bien sûr, cela sera difficile à comprendre et à admettre pour certains — d'autres refuseront d'ailleurs toute leur vie de croire en cette façon d'être et de vivre. Mais ce faisant, ils se refusent également à vivre les grandes possibilités que cela laisse entrevoir. Car lorsque nous admettons la loi du karma, nous admettons du même coup que notre karma et notre libre arbitre travaillent ensemble pour créer notre réalité. C'est cela d'ailleurs que nous dit notre karma: que nous créons ce que nous vivons à chaque instant de chacune de nos vies. Les pensées et les sentiments qui nous animent dans notre vie présente, et les choix et les décisions que nous prenons quotidiennement influencent et modifient notre vécu. Nous travaillons à créer notre propre réalité à travers les choix que nous faisons dans notre vie actuelle. Ce «mécanisme» a naturellement un effet sur ce que nous faisons de notre karma et sur notre façon de l'assumer dans notre vécu.

Le résultat — notre vie présente — sera donc laissé au libre arbitre de chacun. Pour certains ce sera le bonheur, pour d'autres ce sera le malheur; pour certains ce sera la réussite, pour d'autres ce sera l'échec. Mais cet «avenir» qui est notre présent, c'est nous qui le choisissons dans le but d'équilibrer au mieux notre karma. Mais, aussi, il ne faut pas oublier que, dans cette vie présente, nous nous créons également un karma sur cette vie avec nos pensées, nos paroles et nos actions, lequel karma pourra avoir un effet sur une vie future.

Car, disons-le, tout s'inscrit dans ce qu'il est convenu d'appeler «la mémoire de la nature». Voici encore une chose fantastique que les hommes auront beaucoup de peine à imaginer. Mais il est profitable d'en connaître «le mécanisme» car cette mémoire peut nous fournir la «clef» de tous les conflits nés de la raison humaine. Mais cela nous ramène aussi à l'affirmation interrogative: «Il existe des initiés, cela semble logique, mais où ont-ils puisé les preuves de ce qu'ils affirment?» Abordons brièvement ce sujet.

Les preuves de tous postulats physiques et métaphysiques se trouvent consignées dans cette fabuleuse mémoire de la nature, les archives du monde; mais ces preuves ne sont accessibles qu'à ceux qui ont réussi leurs premières initiations majeures. Ces archives étant placées «hors du temps et de l'espace», on peut y voir non seulement le passé, mais aussi le présent et l'avenir; tout ce qui s'est passé depuis la création du monde y est inscrit, même les choses les plus insignifiantes; les pensées, les actes, les paroles, les goûts, les odeurs, les sensations tactiles, les causes et les effets, enfin tout ce qu'on peut «imaginer» y est inscrit, de l'Alpha à l'Oméga.

Pour poursuivre, et suivant les traditions, on appelle aussi cette mémoire: la Galerie des tableaux cosmiques; le Livre de la souvenance de Dieu (chez les premiers chrétiens); la Chronique de l'Akasha de l'Inde; la lumière astrale des Kabbalistes; le Livre Évident ou la Table Conservée des Arabes, ou le Livre de Vie dans d'autres sectes.

Elle contient tout: les images, les paroles, les sons, et ce qui dépend des cinq sens, en plus des pensées et des «mobiles» des activités humaines, et de chacune de nos activités à nous. De là l'importance de ce que nous faisons dans chacune de nos vies. Des gestes que nous faisons comme des paroles que nous prononçons ou des pensées que nous entretenons.

L'humanité ferait d'énormes progrès si les hommes parvenaient à penser par eux-mêmes et s'ils rejetaient toutes les idées qui proviennent de l'extérieur. «Et pourquoi ne jugez-vous pas aussi par vous-mêmes de ce qui est juste» disait le Christ. C'est que les limitations politiques, scientifiques ou religieuses élèvent des «barrières» autour de nous; elles créent des sectaires et des fanatiques, des violents, et empêchent les gens de penser sainement. Ce sont ces barrières qu'il faut renverser, afin de connaître la véritable nature de l'homme.

Ce n'est d'ailleurs pas aux simples gens à qui pensent les prophètes de malheur, mais à leurs propres intérêts, car on peut vivre largement de l'ignorance d'autrui! Comme le disent toutes les Écritures, le péché de pensée est le plus grave; il fait souvent plus de ravages qu'un acte isolé qui ne touche que nous. Mais nous en sommes responsables et nous devrons payer pour le mal que nos pensées mauvaises ont causé, et cela «proportionnellement» à notre degré d'évolution.

Je me souviens, par exemple, d'une femme venue me consulter parce qu'elle vivait ce qu'on appelle le mal à l'âme; elle cherchait à donner un sens à sa vie mais n'y parvenait pas. Durant cette consultation, mes Maîtres spirituels m'ont révélé que des événements de trois vies antérieures avaient une relation de cause à effet sur la vie présente de cette femme.

Dans la première de ces vies qui avaient une relation avec aujourd'hui, cette femme vivait dans un petit village de l'Ohio, aux États-Unis. Je ne m'attarderai pas à tous les détails de cette existence puisque, comme cette femme avait vécu jusqu'à 74 ans dans cette vie antérieure plusieurs événements avaient leur répercussion dans sa vie actuelle.

D'ailleurs, cette vie actuelle n'était pas sans présenter certaines similitudes avec cette vie antérieure, mais je retiendrai que c'est à l'article de la mort, en présence d'un homme qui veillait sur elle, qu'elle a découvert que sa vie s'était déroulée tranquillement, non sans bonheur, mais dans une certaine neutralité. C'est-à-dire qu'elle n'avait eu aucune influence sur les événements et les gens. L'homme n'était qu'un personnage secondaire, mais il avait toutefois un «message» à livrer et ce message, la femme ne l'avait pas compris. Et cette incompréhension, cette neutralité vis-à-vis de la vie s'est poursuivie dans la vie présente.

Comme elle n'avait pas retenu la leçon de vie qu'elle devait apprendre, qu'elle n'avait pas cherché à comprendre son état, elle avait en quelque sorte décidé de revivre ces événements dans la vie présente pour apprendre ce qu'elle devait apprendre avant de pouvoir poursuivre son évolution.

C'est la raison pour laquelle dans sa vie présente elle faisait preuve d'une prudence extrême avant de s'engager dans quoi que ce soit, et déplorait ne rien réussir et ne pas avoir de «motivation» dans la vie.

Ce sentiment était d'autant plus fort que les expériences de deux autres vies antérieures renforçaient cet état d'esprit. Elle avait été une femme juive en France, avant de devenir dans une vie subséquente un homme russe, tiraillé entre l'attrait pour la spiritualité et l'amour d'une femme.

Les événements de ces trois vies antérieures l'avaient ancrée dans cette perception qu'elle n'allait jamais pouvoir se décider. Pire encore, que les plus belles choses et les plus beaux événements de sa vie n'étaient pas mérités. Tout cela sans véritable raison, sinon qu'elle avait connu certaines déceptions cruelles — mais qui n'en connaît pas?

Malgré cette difficulté à assumer ces trois vies, cette femme avait décidé, avant sa naissance dans son corps éthérique actuel, de revivre le même genre d'événements afin de pouvoir vaincre la situation. Elle s'était donc elle-même créé ce karma pour tenter une fois pour toutes de l'équilibrer. Les autres vies ont sans doute été ce qu'on appelle des vies récurrentes, des vies auxquelles elle ne pouvait échapper, pendant lesquelles elle ne pouvait vaincre son mal à l'âme, sa «passivité», et ce, malgré le fait qu'elle ait eu bien des atouts en main.

Cette consultation a finalement révélé que la femme était insatisfaite de ce qu'elle était et de ce qu'elle avait dans sa vie présente; c'est d'ailleurs la raison qui l'avait incitée à venir me voir. Ensemble, nous avons procédé à une première analyse de ces événements de ses vies antérieures, et la femme a dû admettre que les traits de caractère décrits dans celles-ci étaient exactement les mêmes que ceux qu'elle avait aujourd'hui. En prenant conscience des barrières qu'elle s'imposait elle-même, la femme s'est décidé à apporter les correctifs nécessaires afin d'équilibrer son karma et, ainsi, poursuivre son évolution.

Je l'ai revue quelques mois plus tard, et le changement était remarquable. Ce qu'elle avait surtout retenu de ces événements vécus dans des vies antérieures et que mes Maîtres spirituels avaient amenés à ma mémoire était que, dans ses vies antérieures comme dans sa vie présente, elle n'était jamais parvenue à s'accepter telle qu'elle était, avec ses qualités et ses défauts. Avec le temps, elle avait commencé à voir ses qualités et à leur donner plus d'importance qu'à ses défauts. Elle a en quelque sorte cessé de se tricher. Elle a réalisé qu'elle avait laissé échapper de belles occasions de connaître le bonheur, la richesse dans ses vies antérieures mais que, maintenant, dans sa vie présente, elle allait tenter de saisir les occasions lorsqu'elles passeraient.

Et cette seule idée en a fait une nouvelle femme, une femme qui n'avait plus peur de s'affirmer et qui, mieux encore, avait trouvé le sens à donner à sa vie présente.

Elle avait accepté la réalité qu'elle pouvait modifier la tournure des événements.

Lorsqu'on accepte ce principe du choix de ses épreuves, et du processus qui le guide, il ne faut pas seulement se contenter de rechercher dans le passé les causes d'événements qui influent sur notre vie présente; il faut toujours garder à l'esprit que la réalité que nous nous créons est parfois responsable des expériences négatives que nous vivons. On peut être amené à vivre des événements négatifs pour différentes raisons car même si nos actions passées ont une influence indéniable, et importante, sur nos expériences présentes, la façon dont nous les percevons et les vivons détermine la façon dont nous réagissons. Il est cependant possible de savoir si une expérience a pour origine une vie antérieure ou encore si elle n'est que le fait d'un événement de notre vie présente en cherchant sa cause profonde et souvent cachée.

OUVRIR SA CONSCIENCE À LA VÉRITÉ

La plupart du temps, toutefois, et particulièrement si la situation est grave, la cause relève du karma. Celle-ci peut aussi être aggravée par des perceptions et des créations négatives. Tout cela est un peu complexe, mais j'essaierai d'expliquer en résumant le plus simplement possible.

Disons d'abord que nous subissons la loi karmique dans une proportion de 70 pour cent, et que nous disposons de 30 pour cent de libre-arbitre — ce 30 pour cent suffit toutefois pour nous permettre de changer notre vie du tout au tout.

Notre karma a été créé dans une vie antérieure. C'est d'ailleurs la raison pour laquelle il nous semble être un phénomène mystérieux qui jaillit dans le présent. Lorsque dans une vie antérieure on créait son karma, on créait aussi sa réalité. Cela signifie également que lorsqu'on crée sa réalité dans le présent, on crée aussi le karma qui apparaîtra plus tard au cours de cette vie, voire dans une vie future. Il faut donc se faire à l'idée que notre

karma et la création de notre réalité ne sont qu'une seule
et même chose, qu'il s'agit de deux processus qui sont
régis par la loi de cause à effet.

Cette découverte ne prend cependant tout son sens
que lorsque nous l'avons suffisamment assimilée pour
pouvoir la mettre en pratique et modifier les événements
de notre vie actuelle dans le but d'équilibrer notre karma
et de faire évoluer notre âme. Et cela s'applique jusqu'au
moment de notre dernier souffle, car notre dernière pensée avant de mourir peut transformer notre vie à venir
puisque, à ce moment précis, moment où le «cordon
d'argent» se rompt, nous déterminons notre karma pour
une autre vie.

À cet instant précis, les problèmes des autres sous
toutes leurs formes, même si nous sommes concernés, ne
peuvent nous atteindre. Seul notre problème du moment
prend de l'importance selon sa gravité, naturellement.
Dans nos pensées, il nous semble que nous sommes seuls,
absolument seuls, et que même Dieu ne peut ou ne veut
plus rien faire pour nous. C'est faux, bien sûr. Mais si nous
nourrissons une telle pensée au moment de mourir il est
inévitable qu'elle influencera le karma que nous sommes
à nous créer. Et, dans une vie future, nous aurons le choc
en retour.

C'est pour bien comprendre ces pensées, et comprendre les événements de notre vie, que le retour dans
ses vies antérieures est si important puisque seule cette
façon de faire peut réellement nous apprendre à nous
libérer de nos problèmes et de nos difficultés.

-4-

RÉGLER LES DETTES
DU PASSÉ

É quilibrer son karma et retirer des leçons du passé sont indéniablement deux processus complémentaires, mais aussi deux processus bien spécifiques. Il est parfois nécessaire de retirer une leçon avant de pouvoir équilibrer son karma, et vice versa. Cela nous permet en quelque sorte de régler nos dettes du passé pour ensuite accéder à différents niveaux de conscience et de compréhension, tout en comprenant mieux nos vies antérieures. Et ce n'est que de cette façon que nous pouvons progresser et apprendre. À mesure que nous gravissons ces degrés de conscience, nous nous engageons sur le chemin qui mène à l'équilibre du karma.

Lorsque nous cherchons à décortiquer le présent, que nous cherchons en nous-mêmes des éléments pour reconnaître les traces du passé, notre karma et les leçons que nous avons retenues se révèlent à nous, de même que nous prenons conscience de toutes les étapes que nous avons franchies et qui nous ont menés là où nous nous retrouvons aujourd'hui. Mieux encore: nous découvrons en quoi nos expériences passées influent sur notre vie présente. Nous prenons aussi conscience que nous connaissions déjà — inconsciemment ou intuitivement — la façon de parvenir à l'équilibre karmique.

Lorsque nous nous livrons à une telle introspection, il convient donc de chercher ce qui motive nos réactions présentes aux événements que nous vivons. Nos sentiments nous enseigneront la manière d'équilibrer et de comprendre notre karma — car il existe divers degrés de compréhension du karma. Il faut savoir que des zones d'ombre plus ou moins denses l'obscurcissent: les solutions simples sont l'exception, et non la règle. D'ailleurs, chacun le constatera rapidement, certains éléments de notre vie sont extrêmement difficiles à comprendre. Mais cela ne doit pas nous pousser au découragement pour autant puisque, même si nous ne comprenons pas parfaitement ce processus, il faut garder à l'esprit que nous avons toujours retenu des leçons de vie comme nous avons toujours équilibré notre karma, bien souvent sans le savoir.

Mais quand nous nous intéressons à la réincarnation, et que nous souhaitons retrouver les événements du passé en nous livrant à la connaissance des vies antérieures, bien souvent les contrariétés qui nous ont incités à nous livrer à cette introspection disparaîtront quasi par enchantement. Notre réalité se retrouvera alors modifiée parce que nous aurons découvert les causes profondes de nos problèmes ou de nos difficultés. Il arrivera aussi parfois que malgré que la leçon ait été apprise, la situation demeure inchangée. Dans ce cas, c'est que notre karma le veut ainsi.

Il faut surtout retenir que c'est nous qui déterminons à l'avance, avant même notre naissance, comment nous allons régler nos dettes à l'endroit de notre karma. Nous créons nous-même les circonstances qui nous permettront de parvenir à l'équilibre de notre karma, et aussi la façon dont nous pourrons en retirer les leçons. Une fois que ces influences négatives du passé auront été éliminées, nous aurons équilibré notre karma et nous en toucherons les dividendes plus tard; c'est-à-dire, au cours de notre vie actuelle ou dans une vie future, selon notre karma selon la leçon apprise et aussi, selon ce que nous avons décidé de vivre.

Il faut cependant prendre garde de ne pas simplement chercher à équilibrer son karma pour l'équilibrer, pour se débarrasser d'une situation et ne plus avoir à la revivre; en agissant ainsi, on ne parvient pas à un véritable équilibre car on risque d'accumuler ressentiment, rancœur ou quelque autre sentiment négatif, alors qu'on est censé apprendre et équilibrer son karma. Dans un tel cas, il faudra vraisemblablement tout recommencer plus tard.

RÉFLÉCHISSEZ À VOS DÉCISIONS

En plus de vivre son karma pour justement l'équilibrer, il faut savoir tirer des leçons de son vécu. Ce n'est pas tâche facile. Car si on ne l'équilibre pas, on doit s'attendre à revivre tôt ou tard une expérience négative. Mais si l'on souffre à cause de son karma, ce peut être aussi parce qu'on n'a pas compris ni résolu l'aspect négatif auquel on est confronté et, surtout, qu'on n'a pas appris la leçon.

Voici le cas d'une personne insatisfaite. Vous allez rapidement saisir les causes de cette insatisfaction et voir comment cette personne avait elle-même créé cette situation de toute pièce. Mais il lui aura cependant fallu des années avant qu'elle n'admette la situation que je lui avais décrite mais en laquelle elle ne voulait pas croire.

Bien des gens pensent que l'insatisfaction n'est pas un grave problème, en réalité c'est un élément très perturbateur, car générateur de négativisme. Peu importe ce que nous ferons ou obtiendrons, cela ne nous satisfera jamais.

On imagine qu'une telle vie n'est jamais vraiment agréable.

Dans le cas de la personne qui nous intéresse ici — un homme en l'occurence —, nous avons dû remonter près de trente vies, tout autant de vies qui avaient une relation de cause à effet sur sa vie actuelle. Nous ne décrirons pas ici les trente vies; nous ferons plutôt un simple rappel chronologique de certains événements qui auront tout spécialement influencé sa vie présente.

Dans l'une de ces vies, son père était un marchand en Cochinchine. Ce père disait toujours à son fils que, pour maîtriser l'art de la vente, il fallait en connaître les secrets, ce qui nécessitait un très long apprentissage. Très jeune, cet homme a donc appris à lire et à écrire à son fils, pour mieux lui expliquer les secrets du marchandage et de la vente. Pour faire plaisir à son père, mais aussi parce qu'il aimait cela, cet enfant a pris la suite de son père lorsque ce dernier est disparu. Mais à vingt-quatre ans, il avait connu tous les succès possibles, et son village ne lui offrait plus guère d'opportunité. Il a donc quitté son village pour gagner une ville plus grande; la même situation se présenta: il réussit avec tant de facilité qu'il chercha à aller faire ses preuves dans une ville encore plus importante. À l'âge de cinquante-huit ans, il vivait à Pékin; il était riche mais n'était pas heureux car il n'avait plus de défi à relever. Si bien qu'au moment de sa mort, à soixante-sept ans, le bilan qu'il traça de sa vie ne fut guère reluisant; comme il avait si bien appris lorsqu'il était jeune, il n'avait trouvé aucune surprise et retiré aucun plaisir de ce métier qui l'avait pourtant rendu riche. Triste bilan.

Dans une autre de ses vies antérieures, qui avait également une relation de cause à effet sur sa vie actuelle, il vivait dans un pays qui séparait l'Orient de l'Occident. Même si la famille était pauvre, le père maîtrisait parfaitement bien l'art de construire les maisons. Ce sera d'ailleurs la seule valeur qu'il laissera à son fils: la connaissance de son métier. Et effectivement, il réussit au-delà de ses propres espérances. Il construisit de nombreuses maisons et de nombreux bâtiments importants qui le rendirent riche. Lorsqu'il mourut à soixante-dix-huit ans, en réponse à ses enfants qui lui demandaient le secret de sa réussite, il répondit: «Je n'ai eu aucun mérite. Tout était facile, trop facile. Si bien que je ne crois pas avoir jamais ressenti de véritable satisfaction. Le seul conseil que je puisse aujourd'hui vous donner, est de faire les choses qui vous tentent mais de chercher aussi, et surtout, à en retirer du plaisir et de la satisfaction.

Encore dans une autre vie, la même expérience se répéta. Seuls les lieux et le domaine furent différents. Sa vie se déroula en Grèce, et il fut constructeur de bateaux. Il réussit de belles et de grandes choses, mais comme dans ses deux vies précédentes, lorsque vint le moment de tracer le bilan de sa vie, l'homme en arriva à la constatation que le bonheur lui avait fait défaut tout au long de son existence.

Dans chacune de ses vies, les dernières pensées de cette homme ont toujours été les mêmes, il a toujours conclu que sa vie avait été vaine et inutile. Trente vies sous des époques différentes, dans des pays différents, mais toujours les mêmes réflexions et le même constat. L'homme connut pourtant à chaque fois l'aisance matérielle, il eut des idées formidables, des talents exceptionnels, mais à chaque fois le bonheur lui échappa.

En remontant dans le temps, en cheminant dans toutes ces vies, la même situation se répétait. Cet homme revivait sans cesse ce problème d'insatisfaction. Dans son cas, la conclusion s'imposait d'elle-même: il devait chercher à tirer plaisir de ce qu'il faisait, quitte à changer de ville ou de métier. Il devait trouver des défis stimulants à relever.

Mais en dépit de cette évidence, l'homme qui était venu me consulter prit à la légère ce que je lui avais raconté sur ses vies antérieures. Il préféra en rire plutôt que d'y réfléchir. Heureusement, son épouse fut plus perspicace. Elle tira elle-même des exemples de leur vie présente et fit ressortir de nombreuses similitudes avec ses vies antérieures. L'homme avait effectivement un grand talent, il réussissait à réparer tout ce qu'on lui apportait, mais pour lui il s'agissait d'un talent naturel qui ne l'impressionnait pas outre-mesure et le laissait plutôt insatisfait. Il ne prit donc rien de cela au sérieux. Cette consultation a eu lieu il y a maintenant des années. Pendant longtemps, cette femme m'a téléphoné pour me demander ce qu'elle pouvait faire pour son mari. Ma réponse fut toujours la même: c'était à lui de résoudre son problème. Que même s'il avait semblé prendre la consultation à la légère, j'étais persuadé que les idées faisaient tranquillement leur chemin dans sa tête et qu'un jour prochain il réglerait définitivement son problème.

Il y a huit mois son épouse m'a téléphoné pour me dire qu'ils étaient partis vivre aux États-Unis, et que depuis ce temps son mari affichait une nouvelle attitude vis-à-vis de la vie. Je pense qu'il a peut-être enfin compris, me dit-elle.

Il aura fallu neuf ans. Mais il avait vécu trente vies dans cet état...

LES SYNDROMES DU «TOUJOURS» ET DU «JAMAIS»

On s'entend donc pour dire que le karma est le résultat des pensées entretenues et des gestes faits au cours de nos vies antérieures. Il se manifeste dans notre vie présente par nos réactions aux situations actuelles.

C'est la raison pour laquelle il faut apprendre de ses expériences actuelles pour réussir à mettre en lumière les choix et les actions qui les ont déclenchées. Nos décisions passées peuvent nous aider à évoluer, à avancer sur le chemin karmique, ou nous immobiliser dans des modèles négatifs. Si une difficulté survient dans notre vie et que nous cherchons à la comprendre grâce à nos vies antérieures, après avoir regardé ce qui ne va pas, il faut aussi examiner les situations de notre vie qui nous semblent positives à première vue. Pourquoi chercher dans ce qui semble bien fonctionner? Parce que le positif peut souvent dissimuler une situation négative, et c'est le dernier endroit où nous la chercherons.

Mais d'autres situations peuvent survenir. Les syndromes du «toujours» et du «jamais», par exemple. Prenons le syndrome du «toujours» et imaginons que, dans une vie antérieure, nous avons connu le succès et la réussite dans un domaine particulier et arrêté la décision de «toujours» poursuivre sur la même voie; dès lors, nous nous sommes imposé des limites dans votre vie future en nous obligeant à évoluer sur le même plan, ce qui revient presque à faire du sur-place, au lieu de progresser. En agissant ainsi, non seulement nous obligeons-nous à des contraintes qui nous font souffrir, mais il est fort possible aussi que nous fassions souffrir les gens de notre entourage. Lorsqu'on a le sentiment que l'on n'avance pas, que rien ne semble bouger positivement, c'est généralement le résultat d'une telle décision. La situation n'est pas insoluble puisqu'une situation d'apparence négative à première vue, peut être renversée. À un moment où nous nous sentons pris au piège, nous pouvons être stimulé à agir, et notre action peut nous mener à nous épanouir dans un domaine que nous n'aurions jamais exploré si nous avions suivi notre train-train quotidien.

Passons au syndrome du «jamais»; dans une vie antérieure, nous avons pu décider que plus jamais nous ne ferions telle chose, ou que nous revivrions telle situation en particulier. De par cette décision, nous cherchons à contenir des émotions qui demandent pourtant à être exprimées; les sentiments qui nous ont poussé à prendre cette décision du «jamais» sont généralement dus aux craintes qui ont pu naître d'une expérience similaire vécue dans le passé. En nous refusant de revivre le même événement, la peur d'y être à nouveau confronté nous condamne en quelque sorte à revivre la même expérience, mais de façon chaque fois plus négative.

POSITIF VS NÉGATIF

Il faut cependant faire attention avant de juger trop rapidement l'état de notre karma ou les situations que nous vivons, car le positif et le négatif sont parfois si étroitement liés qu'il est difficile de savoir où commence l'un et où finit l'autre. Pourtant, lorsqu'on équilibre son karma, il est important de bien connaître sa nature afin de ne pas surcompenser dans le présent et s'imposer des défis trop lourds.

Il peut être dangereux, par exemple, d'entretenir des émotions négatives non résolues dans le présent, car indépendamment de notre volonté celles-ci continuent à intervenir sur nos pensées et nos gestes. Les décisions négatives prises dans une vie antérieure et les sentiments qui les ont provoquées peuvent ainsi avoir des effets dévastateurs au cours de notre vie présente car ces sentiments de culpabilité, de peur ou de ressentiment peuvent avoir des répercussions physiques et émotionnelles négatives dans notre vie présente. Tous ces sentiments empoisonnés qui nous hantent nous empêchent d'équilibrer notre karma en nous obligeant à assumer un vécu négatif.

Lorsque nous traînons avec nous dans notre vie actuelle de telles émotions qui sont imputables à des événements de nos vies antérieures, c'est généralement parce que nous n'avons pas compris la leçon ou que nous croyons que nous devons de nouveau souffrir pour équilibrer notre karma et régler nos fameuses dettes du passé. Ce faisant, nous nous obligeons à vivre une expérience négative inutile et nous nous faisons du mal. Il faut éviter le plus possible ce genre de situation, car en agissant ainsi nous n'équilibrons aucunement notre karma mais nous nous auto-punissons, en plus d'alimenter des émotions négatives qui surgiront plus tard dans une autre vie, rendant notre karma d'autant plus difficile à équilibrer.

J'ai un jour reçu cette lettre d'un jeune homme qui était venu me consulter, et qui avait visiblement retiré un enseignement de la connaissance de certains événements de ses vies antérieures. Je la reproduis, pour montrer comment l'évolution et la compréhension de ces événements peut modifier notre vie présente de façon radicale, et nous apporter une plus grande sérénité :

«Durant onze vies, j'ai toujours répété le même cheminement; onze vies durant lesquelles j'ai cherché la paix intérieure et la joie de vivre, sans jamais les trouver. Pourtant, à une certaine époque, mon père m'a montré le chemin, mais je n'ai pas compris. « Que se passe-t-il pour que je n'arrive pas à saisir ces choses que je devine importantes? Je crois que c'est simple: je ne suis jamais arrivé à prendre réellement conscience de la vie, je n'ai jamais réalisé qu'il me suffisait de rechercher à l'intérieur de moi plutôt qu'à l'extérieur, plutôt que dans les événements et dans les autres, le point d'appui dont j'avais besoin pour m'élever spirituellement.

« J'ai conscience aujourd'hui qu'il est essentiel que je considère la vie de façon différente de ce que j'ai l'habitude de faire. Je dois voir les événements de ma vie présente comme autant de moyens mis à ma disposition pour m'élever davantage; ces événements sont reliés les uns aux autres et c'est ce lien que je dois reconnaître. Ensuite seulement, je sais que je pourrai garder ce que je veux ou ce dont j'ai besoin, et me débarrasser du reste.

« Je dois aussi prendre conscience de certains dons qui m'ont été accordés; plutôt que de critiquer les gens qui sont différents de moi, qui agissent différemment de moi, je sais que je dois voir en eux autant d'êtres en évolution, comme je le suis moi-même. Je deviendrai de façon générale plus satisfait des événements et des gens, et l'insatisfaction et cette certaine intolérance, ou peut-être est-ce de l'incompréhension, s'estomperont graduellement.

« Ce n'est qu'à ce moment-là que je connaîtrai la paix intérieure et que je redécouvrirai la joie de vivre.

« Quand je quitterai cette vie, je pourrai donc être satisfait du chemin parcouru et je serai convaincu d'avoir bien préparé le terrain pour une nouvelle mission. »

Quelles que soient donc nos expériences vécues et quelle que soit notre vie actuelle, malgré les événements que nous avons choisi de vivre, il faut faire attention de ne pas sombrer dans le négativisme car il est alors parfois bien difficile de remonter la pente.

Le jeune homme qui m'a adressé cette lettre a compris qu'il faut voir les émotions négatives pour ce qu'elles sont, c'est-à-dire ni plus ni moins qu'un signal d'alarme qui doit nous aider à prendre conscience de ce que nous avons fait au cours de nos vies antérieures; les émotions négatives nous permettent de revivre ces expériences dans notre vie présente afin de mieux les comprendre, et surtout pour nous permettre de retenir la leçon et d'équilibrer notre karma. Il n'est cependant pas essentiel de souffrir pour y parvenir car le karma n'est pas obligatoirement un processus qui doit être douloureux. Au contraire, pour qui sait bien le vivre, le karma peut constituer une expérience inoubliable et bienfaisante. Car, ne l'oublions pas, équilibrer notre karma consiste, dans son but ultime, à apprendre des leçons de vie, tout en nous faisant acquérir une plus grande sagesse et une meilleure compréhension qui permettront à notre âme de poursuivre son évolution vers le nirvana.

-5-

LES LEÇONS
DU PASSÉ

Nous sommes souvent portés à croire qu'il nous est impossible de nous rappeler les leçons que nous avons décidé d'apprendre dans notre vie présente. C'est faux. Quiconque regarde d'un œil franc et honnête ce qui est le plus important pour lui dans la vie, les choses qui provoquent les sentiments les plus intenses chez lui, pourra découvrir ce qu'il a choisi de vivre.

C'est pour cela que les difficultés et les problèmes que nous rencontrons dans notre vie présente sont révélateurs des leçons que nous avons à apprendre et du karma à équilibrer. À chaque aspect négatif correspond un apprentissage positif; il faut donc chercher à découvrir quelle leçon nous pouvons retirer des problèmes auxquels nous sommes confrontés, et nous découvrirons ainsi celle que nous avons à retirer. Par exemple, si nous sommes critique vis-à-vis des autres, notre leçon sera d'apprendre à vivre avec plus de compréhension et d'acceptation. Notre karma peut refléter la peur, née dans une vie antérieure, d'être victime des autres, mais ça peut aussi être la dette que nous remboursons pour avoir été trop critique dans le passé. Si nous sommes impatient et voulons immédiatement, il se peut que notre karma relève d'une vie antérieure au cours de laquelle nous étions oisif, ou encore d'une vie où nous ne sommes pas parvenu à atteindre un but que nous nous étions fixé. Dans ce cas, notre attitude en est une de surcompensation.

Il faut aussi regarder nos peurs, elles nous indiquent ce que nous voulons surmonter. Si nous avons peur de la solitude, ou si nous sommes solitaire, notre leçon consiste sans doute à apprendre à vivre seul, à être plus indépendant. Nous payons peut-être pour une trop grande dépendance dans une vie antérieure. Lorsque nous réussissons à équilibrer notre karma, nous apprenons à maîtriser notre peur. Nous sommes alors capable de retirer une leçon de ce vécu et, surtout, d'effectuer les changements positifs qui s'imposent d'eux-mêmes.

Comme le karma se poursuit d'une vie à l'autre, les problèmes graves sont généralement l'indication que nous vivons le même karma depuis plusieurs vies. Cela peut s'expliquer par le fait que nous avons décidé de ne pas équilibrer notre karma au cours de notre vie présente, ou encore que nous ne pouvons réussir à l'équilibrer en raison de l'absence de circonstances propices. Il arrive souvent que seuls quelques-uns des nombreux aspects du karma puissent être équilibrés au cours d'une même vie; dans un tel cas, le karma se prolongera dans une vie future où l'occasion nous sera alors donnée de vivre totalement les effets de nos pensées et de nos gestes, et où les conjonctures nous permettront de l'équilibrer parfaitement.

Mais la reconnaissance des problèmes primordiaux et des influences de nos vies antérieures ne constitue toutefois que la partie visible de l'iceberg. L'important est la partie invisible. Pour parvenir à déterminer les problèmes graves, il faut commencer par remarquer la façon dont ils se manifestent dans notre vie présente, il faut aussi les simplifier au maximum pour n'en retenir que l'essentiel. Lorsque nous parvenons à un constat de la situation, il faut alors chercher à aller au-delà des apparences pour voir si cette situation ne cherche pas à en cacher une autre. Il faut se livrer à une introspection, explorer nos pensées et nos sentiments relatifs à l'influence de nos vies antérieures sur le présent. Il faut essayer d'analyser et de comprendre comment et pourquoi ces expériences auxquelles nous sommes confronté sont liées à une éventuelle situation d'une vie antérieure. Mais notre karma actuel peut aussi résulter de l'influence de plusieurs vies antérieures et impliquer plusieurs leçons. À ce moment-là, la «reconnaissance» du problème peut être plus complexe et plus longue.

RETROUVER LE SOUVENIR DE NOS VIES ANTÉRIEURES

Comme les souvenirs du mental et de l'âme sont gravés dans le subconscient, chacun peut parvenir à retrouver le souvenir de ses vies antérieures. Bien sûr, on n'y parvient pas nécessairement du premier coup — bien que cela soit déjà arrivé à certains. Mais avec du temps et de la pratique, chacun d'entre nous peut y arriver.

La condition essentielle pour entrer en contact avec son subconscient qui, à son tour, ramènera ces souvenirs enfouis au plus profond de nous, est d'être détendu, complètement détendu. Il faut débarrasser son corps des tensions et son esprit de toutes ses préoccupations. On réalisera qu'on atteint cette détente profonde lorsqu'on sentira ses muscles se relâcher. Le calme et la tranquillité envahissent notre esprit. C'est notre subconscient qui s'éveille et prend en quelque sorte la «relève». Nous avons alors atteint ce que l'on appelle le niveau Alpha, c'est-à-dire que nous sommes alors réceptif aux souvenirs de nos vies antérieures.

Quelques mots sur ce niveau Alpha. Il ne faut pas croire que cet état Alpha est difficile à atteindre, que seuls quelques chanceux y parviennent. Bien au contraire, l'état Alpha est un état qui est familier à chacun. Eh oui! On est au niveau Alpha lorsqu'on réfléchit tranquillement ou qu'on analyse ses sentiments, lorsqu'on est détendu et heureux, lorsqu'on lit un livre ou qu'on regarde un film en oubliant tout le reste, ou encore lorsqu'on se sent «inspiré». On atteint également ce niveau Alpha chaque nuit avant de s'endormir, et pendant ses rêves.

Le niveau Alpha n'est cependant pas lié directement à la recherche des souvenirs, même s'il y participe en réduisant ou en éliminant le stress et la fatigue. Plus on se détend, plus on se sent en harmonie avec soi-même et ce qui nous entoure. C'est un sentiment de quiétude et de paix qui s'insinue en nous. On devient calme, en pleine possession de ses moyens physiques et mentaux, on se sent reposé. C'est d'ailleurs la raison pour laquelle lorsqu'on entre en soi, on développe une attitude plus positive envers la vie — cela se manifeste d'ailleurs sur le plan de l'énergie et de la santé.

Lorsque nous sommes en Alpha, nous avons également une meilleure image de nous-mêmes, nous apprenons à nous voir tels que nous sommes et non pas comme les autres nous voient ou comme nous voudrions être. Nous comprenons avec plus d'acuité ce qui motive nos décisions et nos gestes, et cela nous aide à atteindre nos objectifs. Notre conscience psychique se développe au fur et à mesure que nous stimulons notre don inné d'intuition et de prémonition. Une fois en contact avec notre subconscient, nous pouvons alors mieux comprendre nos rêves et découvrir notre véritable nature spirituelle. En établissant une relation directe avec notre subconscient, nous donnons également libre cours aux souvenirs de nos vies antérieures. Nous découvrons alors les comment et les pourquoi de leurs influences sur notre vie actuelle, mais aussi la raison pour laquelle ils surgissent à un moment particulier de notre existence.

Celui qui parvient à un tel état réalise qu'il détient toutes les réponses aux questions qu'il se posait. Certes, à première vue les événements et les situations ne seront peut-être pas d'une netteté parfaite ou d'une compréhension facile, et c'est la raison pour laquelle il convient de faire confiance à ses intuitions et aux informations qui nous parviennent.

Mais il est indispensable d'être en Alpha pour véritablement entrer en relation avec nos vie antérieures —

c'est une condition sine qua non. Si cela peut sembler difficile les premières fois, il faut tout de même garder à l'esprit que plus nous effectuerons cette relaxation, plus nous serons détendu et conscient. Quand après plusieurs séances de relaxation nous savons pouvoir nous placer rapidement en Alpha, nous pouvons réduire le temps consacré à cette méditation. En fait, chacun doit progresser à son propre rythme.

LE DÉJÀ VU
OU L'ÉTAT VIBRATOIRE

Chacun a déjà vécu au moins une fois dans sa vie l'expérience du «déjà vu», ce sentiment d'avoir déjà vécu une situation ou encore de connaître un endroit sans jamais y être allé, sauf peut-être sur le plan astral. Vous savez, ce genre de situation qui semble familière, mais dont il est impossible de se rappeler où l'on a éprouvé ce sentiment et à quelle époque. Bien sûr, ce peut être simplement le retour à l'esprit d'une expérience vécue au cours de la vie présente, mais ça peut également être le signe de quelque élément d'une vie antérieure qui resurgit soudainement.

L'une des premières étapes de la remémorisation de nos vies antérieures consiste justement à distinguer clairement un souvenir de notre vie actuelle d'un souvenir d'une vie antérieure. Comme le déjà vu ne permet pas d'établir cette distinction, nous seul pouvons réellement savoir si ce sentiment concerne un quelconque souvenir de notre vie présente ou correspond à une vie antérieure. C'est d'ailleurs la raison pour laquelle il faut accorder une attention particulière à nos impressions car ce sont elles qui nous conduiront à l'origine du souvenir. En règle générale, nous reconnaissons les souvenirs de notre vie présente parce qu'ils apparaissent très nets et très familiers, alors que ceux qui proviennent d'une vie antérieure sont plutôt ressentis comme un vague sentiment d'avoir déjà vécu une telle situation, mais sans que nous puissions préciser ni où, ni quand, ni comment. Mais ça peut être aussi plus complexe. Par exemple, cette impression du déjà vu peut être liée à une expérience passée de notre vie vécue, expérience elle-même provoquée par une vie antérieure. Il nous faut donc étudier avec attention nos sentiments et nos réactions: sont-ils gouvernés par des souvenirs de votre vie présente ou influencés par une vie antérieure?

Ce phénomène du déjà vu peut, à l'occasion, se manifester d'autres façons. Par exemple, en regardant un film ou en lisant un livre, il arrive souvent qu'on s'identifie à l'un des personnages, ou encore qu'on ait l'impression d'avoir déjà vécu une scène qui y est montrée ou décrite. Naturellement, l'histoire peut ressembler à un autre livre ou à un autre film que vous avez lu ou vu, mais ce sentiment peut aussi s'expliquer par le fait que nous avons nous-même vécu une expérience semblable au cours de notre vie.

SOUVENIRS DU PRÉSENT OU SOUVENIRS D'UNE VIE ANTÉRIEURE?

Le phénomène du déjà vu est donc complexe et difficile à cerner avec précision. Le fait de visiter une ville pour la première fois tout en sachant exactement ce que nous trouverons dans une rue déterminée, ou se rendre dans un endroit jusqu'alors inconnu et éprouver le sentiment d'y avoir déjà vécu, ou encore se sentir attiré par un lieu particulier sans en connaître les raisons, voilà autant de manifestations du déjà vu qui peuvent avoir plusieurs causes. Ce peut être une information que nous avons emmagasinée dans un reportage, un livre ou un film; ça peut être une ressemblance avec un autre lieu que nous connaissons, et une attirance particulière pour un endroit peut s'expliquer par le fait que nous nous y sentions simplement bien.

Mais tout cela peut aussi s'expliquer par des émotions liées à ce que nous avons vécu dans une vie antérieure. Une sensation qu'on découvre peut nous paraître familière, le goût ou l'odeur d'un aliment, une musique, un bruit, cette impression peut être l'indice qu'un événement d'une vie antérieure y est rattaché.

Cela peut également être le résultat d'un voyage astral non conscient...

Nous pouvons aussi éprouver un sentiment de déjà vu pendant une conversation. C'est peut-être le signe que nous avons eu une conversation semblable au cours de notre vie actuelle — nous l'aurions simplement oubliée — mais cette conversation peut aussi référer à une conversation que nous avons eue dans une vie antérieure. On peut faire quelque chose pour la première fois avec beaucoup de facilité, comme si on en avait l'habitude: cela peut dénoter une aptitude ou un talent particulier acquis au cours d'une vie antérieure, et qui réapparaît à cette occasion. Une personne peut provoquer chez nous une attirance ou une aversion immédiate: on l'a peut-être connue dans une vie antérieure; ces premiers sentiments révèlent alors l'état de cette relation.

Mais lorsque nous nous retrouvons dans une situation de déjà vu qui semble être le rappel d'une vie antérieure, il faut aussi voir si ces souvenirs ne sont pas rattachés à notre vie présente, ou déclenchés par la similitude des situations. Sautez trop rapidement à la conclusion que le déjà vu est une référence à une vie antérieure n'est pas la meilleure approche. Je le répète: un sentiment de déjà vu peut avoir pour origine un rêve que nous avons fait, un livre que nous avons lu, un film que nous avons vu ou une histoire qu'on nous a racontée. Il peut aussi naître de nos intuitions, de nos aptitudes télépathiques subconscientes, ou encore d'une prémonition.

Il faut donc se pencher avec attention sur ces sentiments de déjà vu afin d'établir s'il s'agit ou non de souvenirs d'une vie antérieure. Votre état de conscience (Bêta) saura, ainsi, que vous faites preuve de prudence et de sérieux dans l'exploration de vos vies antérieures, et soutiendra le travail qui se fait au niveau Alpha.

Nous examinerons donc minutieusement nos expériences de déjà vu. Ce n'est qu'une fois convaincu qu'ils ne sont pas des rappels de situations ou d'événements que nous avons vécus dans notre vie présente que nous les considérerons comme d'éventuels indices de vies antérieures. Nous pourrons ainsi déterminer dans quelle direction engager nos recherches, et démarrer sur des bases solides. Bien sûr, il faut garder l'esprit ouvert pour faciliter le tri de nos sentiments et de nos émotions; il faut aussi garder à l'esprit ce que nous éprouvons à propos de ces situations de déjà vu.

COMMENT RECONNAITRE NOS VIES ANTÉRIEURES?

Alors, LA question que l'on se pose ou que l'on se posera: comment reconnaître les souvenirs de nos vies antérieures? Comment savoir, lorsque ces phénomènes se produisent, si l'on réagit à un sentiment lié à un événement oublié de sa vie présente, ou si l'on est influencé par un souvenir d'une vie antérieure. Sentiments et réactions sont déclenchés par la similarité des situations.

Il faut remonter la piste de ses sentiments de déjà vu pour en découvrir l'origine.

Pour ce faire, dès que nous ressentirons un sentiment de déjà vu, nous noterons nos sensations et nos réactions. Nous accorderons une attention particulière aux premières pensées et aux premières émotions qui auront surgi en nous. Il nous sera ainsi plus facile d'en faire ensuite le tri pour déterminer si ce déjà vu a son origine dans notre vie présente ou dans une vie antérieure.

Nous commencerons d'abord par chercher un lien avec notre vie actuelle. Si nous n'en découvrons aucun, nous tenterons alors de déterminer comment et pourquoi l'une de nos vies antérieures a pu déclencher cette impression de déjà vu. Agir de cette façon, contrairement à ce que l'on serait tenté de croire, n'est pas avancer à l'aveuglette puisque, inconsciemment, nous savons déjà ce qui a provoqué cette impression. Nous ne faisons donc qu'imaginer toutes les possibilités qui nous permettront de trouver la réponse exacte. Quand nous parviendrons enfin à l'origine de ce sentiment de déjà vu, nous la reconnaîtrons sans hésitation.

En utilisant ces observations comme ligne directrice, nous pourrons comprendre pourquoi nous réagissons à la situation de déjà vu en rentrant en nous-même et en devenant réceptif aux images et aux perceptions de notre subconscient. Nous nous mettrons bien sûr en état Alpha pour nous concentrer sur l'image que nous en avons aujourd'hui. À partir de là, nous laisserons ces images se transformer pour se réassembler en scènes de notre vie antérieure. Nous devons faire confiance à cette intuition pour nous aider à découvrir l'origine de notre impression de déjà vu; il faut avoir confiance en nous aussi, ce n'est que de cette façon qu'émergera ce souvenir enfoui au plus profond de notre subconscient.

UN PASSÉ PRÉSENT

Il faut garder à l'esprit que lorsque nous nous rappellons et revoyons nos vies antérieures, ces souvenirs ne sont pas affectés par le temps, c'est-à-dire que nos vies antérieures nous paraîtront aussi réelles aujourd'hui qu'elles l'étaient autrefois. C'est que les énergies mises en mouvement par les émotions et les événements passés n'ont aucune contrainte espace-temps: nous revivons donc le passé comme s'il était le présent; passé et présent s'entremêlent d'ailleurs au point de ne plus faire qu'un. Une vie antérieure peut dater de trois cents ou mille ans, mais les réactions qu'elle déclenche aujourd'hui sont aussi réelles que si l'événement avait eu lieu quelques minutes seulement auparavant. Ce phénomène est dû au flux d'énergie qui s'écoule à travers le temps en raison de l'influence qu'exercent les vies antérieures sur le présent. C'est d'ailleurs aussi la raison qui fait que lorsque nous retournons dans notre passé, nous ne nous coupons jamais du lien qui nous unit au présent. Notre âme et notre mental nous permettent ainsi de voyager sans risque, d'autant plus que notre subconscient nous guide dans ce périple au cours duquel nous apprenons à mieux nous connaître en découvrant tous les événements qui ont marqué nos vies successives.

Plusieurs méthodes de «recherche» sont en quelque sorte à la disposition de celui qui souhaite se livrer à un retour dans le passé: il y a celle que l'on appelle participative, celle que l'on qualifie de détachée et, enfin, celle que l'on dit observatoire active. La première nous permet de revivre le passé; la seconde, de l'observer sans ressentir les émotions qui y sont liées; et la troisième associe les deux expériences.

Cela signifie que si nous vivons un retour au passé participatif, nous projetons notre conscience dans les souvenirs de nos vies antérieures, ce qui nous permet de les revivre comme nous les avions vécus à l'époque. Nous voyons et ressentons exactement les situations de nos vies antérieures; notre perception et nos sens sont totalement impliqués dans ce processus. Nous ressentons les mêmes émotions et revivons les mêmes expériences. Cela nous permet donc de comprendre par «vécu» les sentiments qui nous animent depuis cette vie antérieure et qui influencent nos réactions présentes.

La régression dite «détachée» nous donne la possibilité d'assister aux événements de nos vies antérieures auxquels nous avons participé mais, cette fois, sans rien éprouver, un peu comme si nous regardions un film. On privilégie cette façon de faire lorsque l'événement que l'on se rappelle ou que l'on revit est douloureux car elle nous permet de le revivre en toute objectivité.

Dans l'observation active, notre conscience se place au-dessus de l'événement antérieur mais nous y participons tout de même; nous sommes conscient de tous les aspects de l'événement et comprenons mieux ce que nous avons vécu. Au cours de ce processus, notre conscience est partagée entre deux tâches: observer et revivre l'événement. Nous pouvons recourir, à notre gré, à l'une ou l'autre de ces attitudes, notre choix n'étant déterminé que par l'événement lui-même et par ce que nous recherchons.

Mais attention. Nous avons tendance à vivre nos fantasmes et souvent nous sommes prisonnier de ceux-ci.

-6-

À LA FAÇON D'EDGAR CAYCE

Pour ma part, comme maître-radiesthésiste — voilà plus de trente-cinq ans que j'étudie et perfectionne cette science —, je suis habité par un don que je me suis découvert à l'adolescence. J'entre donc en transe, tout comme le faisait Edgar Cayce, pour faire la lecture des vies antérieures des gens qui viennent me consulter. Mais contrairement à ce que d'autres font, c'est-à-dire pour le seul plaisir de faire découvrir ce que nous étions dans nos vies précédentes, je préfère consacrer ce don à la lecture des vies antérieures qui ont une relation de cause à effet sur l'état de notre évolution actuelle.

Car plus qu'une simple curiosité, nos vies antérieures recèlent des données essentielles au mieux-être de chacun. Elles nous aident d'ailleurs à comprendre et à modifier notre comportement pour libérer cette énergie créatrice que nous avons tous en nous.

En prenant conscience des similitudes entre nos attitudes et nos actions passées et présentes, nous arrivons non seulement à les maîtriser, mais aussi à les modifier et ainsi à restructurer notre personnalité. À cause de ces modifications que nous apportons, grâce à la connaissance puisée dans nos vies antérieures nous pouvons parvenir à surmonter nos difficultés; blocages, phobies, stress, peurs s'estompent, et notre évolution peut se poursuivre.

À cause de ma grande facilité à entrer en transe, de ma faculté de percevoir les couleurs des auras (je consacrerai plus loin un chapitre à ce sujet), et grâce aussi à ceux que j'appelle mes Maîtres spirituels — et qui me guident dans mes recherches —, j'ai accès directement à la connaissance complète, de la naissance à la mort, comme des vies antérieures, des personnes qui viennent me consulter.

Ce que j'ai toujours privilégié donc, c'est l'utilisation de ces connaissances comme thérapeutique.

Bien sûr, lorsque j'ai commencé à défendre cette théorie, il y a déjà de nombreuses années, on me regardait d'un œil plutôt bizarre; il faut dire qu'il y a quinze ou vingt ans personne n'aurait osé soutenir que l'apparition ou la disparition d'un problème psychique, et plus encore physique, pouvait dépendre simplement de l'âme et du mental. Pour la grande majorité des gens, la séparation du corps et de l'âme et du mental était quelque chose d'incontestable. Or, avec les années, cette théorie s'est effritée, si bien qu'aujourd'hui plus personne ne chercherait à nier le fait que l'âme et le mental jouent un rôle important, voire déterminant, dans les maladies du corps. Par exemple, des recherches universitaires ont démontré que plus une personne est heureuse, plus son système immunitaire est fort. Mais, à mon avis, ce n'est là que la pointe de l'iceberg car au cours des prochaines décennies nous aurons les preuves scientifiques des liens indissociables entre la grande majorité des maladies — pour ne pas dire toutes — et notre âme et notre mental. Soulignons ici que lorsque je parle d'âme et de mental, je parle de ce que les gens appellent généralement, et faussement, l'«esprit». L'âme a une importance et représente une force beaucop plus grande que l'esprit, ne serait-ce qu'en raison de son immortalité, laquelle nous permet de faire en quelque sorte le «lien» avec la mémoire de la nature que j'ai précédemment évoquée. C'est la raison aussi pour laquelle je soutiens que la connaissance de certains événements de nos vies antérieures peut avoir un effet significatif dans nos vies présentes.

DES THÉRAPIES RÉVÉLATRICES

À preuve de ce que j'avance, je rappellerai une étude faite par la psychothérapeute Helen Wambach auprès de 26 thérapeutes utilisant la régression sous hypnose. Ils représentaient à eux tous un total de 18 463 patients. Elle a ainsi découvert que 24 de ces 26 thérapeutes opéraient des régressions par rapport à un symptôme physique; 18 de ceux-là ont noté avoir obtenu une amélioration d'au moins un symptôme physique à la suite d'une thérapie portant sur un trouble précis, et cela dans 63 pour cent des cas. Parmi ces patients, 60 pour cent avaient constaté une amélioration après avoir revécu, dans une autre vie, une expérience traumatisante non liée à la mort.

L'efficacité de la thérapie par les vies antérieures dans les cas de problèmes physiques et mentaux ne se pose donc plus. Il faut toutefois remarquer que, dans l'ensemble, on connaît les meilleurs résultats quand il s'agit de troubles provoqués par des émotions, c'est-à-dire ceux qui apparaissent en réaction à une perturbation émotionnelle. Il s'agit essentiellement de problèmes respiratoires comme l'asthme, de problèmes de peau comme les dermatites et les verrues, les ulcères, l'hypertension, les migraines et certains troubles gastro-intestinaux.

Albert Einstein a dit, il y a maintenant bien longtemps: « Il est possible qu'il existe des émanations qui nous sont encore inconnues. Vous vous souvenez comme on s'est moqué des courants électriques et des «ondes invisibles»? La connaissance de l'homme est encore au berceau... » Einstein, dans ce domaine comme dans bien d'autres, était évidemment en avance sur son temps. Mais comme nous ne nous servons que d'environ 10 pour cent de notre cerveau, il y a tout lieu de croire que les autres 90 pour cent ont une ou des fonctions que nous ne sommes pas encore parvenus à cerner — ce qui ne signifie pas que nous ne nous en servons pas pour autant.

Mais il est de plus en plus accepté que les émotions peuvent entraîner des transformations physiques surprenantes, soit pour les faire apparaître, soit pour les faires disparaître. D'ailleurs, pour le corps médical, le lien entre le corps et l'âme et le mental paraît chaque jour plus solide. Mais on peut encore se demander si la thérapie par les vies antérieures est en avance sur son temps, ou si elle n'est tout simplement pas une idée un peu saugrenue, ou tout au moins excentrique? À mon avis, elle est incontestablement en avance sur son temps, et aucunement saugrenue, ni même exentrique.

Au fil des consultations que j'ai menées, j'ai découvert des cas étonnants qui ont connu des résultats remarquables, même s'ils ne sont pas toujours immé-diats. En voici l'un des plus frappants, des plus difficiles aussi.

Un jour une femme est venue me consulter. Elle souffrait d'une maladie plutôt rare, la sclérodermie. Elle voulait savoir si ce problème dans sa vie présente ne pouvait pas être le résultat d'événements provenant de ses vies antérieures.

Je suis donc entré en transe, et mes Maîtres spirituels m'ont guidé dans trois de ses vies antérieures qui avaient effectivement une relation de cause à effet avec sa vie présente.

Dans la première vie que nous avons explorée ensemble, nous avons découvert que cette femme vivait en Bavière, où elle était en quelque sorte une sorcière, qui était censée avoir jeté un mauvais sort à autre femme en la rendant laide. Par jalousie. La réalité était tout autre, car ce n'était en fait qu'une illusion qui lui avait servi d'exutoire à ses propres malheurs. Le problème avait cependant été l'influençabilité de la «victime», et celle-ci avait été persuadée qu'elle avait été frappée par un mauvais sort. Le ressentiment avait été fort à l'époque, et il avait fait naître chez les deux femmes des sentiments à la fois de satisfaction — pour avoir prétendument provoqué une mauvaise action —, et à la fois de regret — parce que ce n'était pas vraiment ce qu'elle souhaitait. Mais dans son esprit, cette femme s'imaginait responsable de ce qui était arrivé à l'autre, parce qu'elle croyait qu'en le souhaitant, elle l'avait provoqué.

Cette femme affichait dans sa vie présente certaines façons de penser et d'être qu'elle avait déjà dans cette autre vie. Son karma était très net. Elle avait une aura grise, ce qui révèle une certaine difficulté à voir les événements et les gens de manière objective. Le côté positif de cela, c'est que cela confère à la personne qui a une telle aura certains pouvoirs de claivoyance.

Dans cette vie antérieure, elle avait usé de façon négative de cette clairvoyance; elle avait deviné la faiblesse de l'autre femme et en avait profité sans vergogne. Si elle avait eu des regrets, ils n'avaient jamais été assez forts pour qu'elle se dise qu'elle ne referait pas la même chose si la même situation se représentait. Elle était donc morte, bien des années plus tard, sans éprouver de compassion pour la jeune fille qu'elle avait blessée et perturbée à jamais. Et puis, aussi, secrètement, elle a craint jusqu'à sa mort que l'autre femme ne cherche à se venger d'elle.

Dans une autre vie, laquelle avait toujours une relation de cause à effet sur sa vie présente, cette femme vivait seule dans un petit village de France. L'événement de cette vie qui revêt une grande importance est une bonne action qu'elle a faite mais qui a finalement tourné en sa défaveur. Après s'être portée au secours d'un ivrogne, elle fut plus tard victime d'un viol.

Dans cette vie antérieure, l'enseignement s'établit sur plusieurs plans. Premièrement, cette femme a toujours un don de clairvoyance, mais elle n'a jamais appris à s'en servir. En n'exploitant pas ce don, elle est restée refermée sur elle-même en attendant que *quelque chose* se passe. L'événement s'est donc développé à l'intérieur d'elle-même d'abord et avant tout: elle voulait qu'il arrive quelque chose. Elle a essayé de porter secours à cet homme trouvé à quelques pas de chez elle, mais l'homme a abusé de la situation et l'a violée. Il devait décéder peu de temps après. La femme n'avait jamais regretté l'aide qu'elle avait apportée à l'homme, mais elle ne comprit jamais la raison pour laquelle elle avait eu à souffrir de montrer de l'amour et de la compassion pour son prochain. Cette question lui est toujours restée à l'esprit, et s'est fondue à son karma.

Dans une autre vie, elle avait été une gitane qui avait assisté, impuissante, à la mort de trois personnes. Là encore, bonne et mauvaise action s'étaient confondues — nous n'entrerons pas dans les détails car ceux-ci sont sensiblement les mêmes, ou tout au moins mènent-ils à la même conclusion que les événements des autres vies antérieures.

Tout cela pour dire que cette femme était responsable de son karma, et celui-ci se manifestait aujourd'hui par l'apparition de cette maladie dont elle souffrait. Ce qui a bloqué chez elle, ce qui bloquait encore au moment de la consultation l'an dernier, c'était ce don de clairvoyance qu'elle n'avait jamais appris à maîtriser et qui la conduisait à faire des actions qui finissaient par tourner à son désavantage. L'espoir l'avait toujours animée mais... il finissait par céder aux mauvaises vibrations. Tout au long de ses vies antérieures, comme au cours de sa vie présente, elle avait tenté d'appeler ses guides et ses maîtres spirituels, mais comme personne ne s'était jamais manifesté, elle a commencé à douter d'eux.

C'est qu'elle n'avait jamais réalisé qu'à chaque fois qu'elle avait appelé ses maîtres spirituels, elle le faisait dans le but de leur confier sa vie. Or, les maîtres spirituels ne sont là que pour nous guider, nous donner la «piste» à suivre, non pas pour agir à notre place. À chaque fois, c'est pourtant ce que cette femme s'était attendu à vivre. Elle avait dédaigné l'importance du libre arbitre.

Donc à cause de ces expériences passées, il est compréhensible que cette femme ait à vivre son lot d'épreuves pour ne pas avoir retenu la leçon de ses vies antérieures. Elle a effectivement connu des problèmes sur le plan moral et sur le plan physique; des déceptions amoureuses; des problèmes de santé. Elle risque aussi d'en connaître encore. Ce n'est que lorsqu'elle réussira à interpréter avec précision ses vies antérieures qu'elle pourra s'affranchir et s'élever. Mais pour cela, elle devra en quelque sorte faire un mea-culpa pour certaines mauvaises actions commises dans ses vies antérieures.

Quand elle aura compris et quand elle aura accepté les faits, quand elle s'élèvera spirituellement, alors peut-être ses guides lui donneront-ils les éléments qu'il lui faut pour équilibrer son karma. Car, pour connaître des résultats, il ne faut pas viser la guérison, un objectif somme toute «terre à terre» — nos «guides» ne sont pas des médecins d'urgence-santé! — mais plutôt chercher à comprendre les causes de la maladie. Une fois ces causes comprises, il sera alors facile de trouver la solution au mal.

Heureusement, j'ai perçu en elle un guide qui est assez élevé; un guide qui va agir en fonction de ses pensées pures et la guider vers un meilleur chemin. Car, après tout, cette femme a aussi commis de bonnes actions. Elle a toujours eu de la compassion. Et les bonnes actions ne se perdent jamais.

Cette année, elle a fait des progrès notables. Son état de santé s'est d'ailleurs amélioré de façon notable, elle est même pour ainsi dire guérie et il ne lui reste plus qu'à vaincre certains effets secondaires de cette maladie dont elle a souffert et qui se nomme sclérodermie (une maladie chronique qui provoque une sclérose du derme et des anomalies vasculaires de la peau, des structures articulaires et des viscères). Je suis convaincu qu'elle aura la force de comprendre d'autres événements de ses vies antérieures, événements qu'elle est la seule à pouvoir reconnaître et interpréter, et cela lui ouvrira la voie de l'évolution et d'une plus grande amélioration encore sur le plan physique, bien sûr, mais aussi mental.

APPRENDRE

L'idée que l'âme et le mental puissent être à la source de la maladie est donc une idée relativement neuve, tout comme l'est le mot de «psychosomatique» (c'est-à-dire lié à, ou découlant de l'interaction et de l'interdépendance des phénomènes psychiques et somatiques). C'est la recherche qui a permis de modifier la perception que l'on avait de cette idée. La communauté médicale admet maintenant qu'il y a beaucoup de choses qu'elle ne comprend pas dans les relations entre le corps et l'esprit; on reconnaît également l'existence de certains phénomènes étonnants.

Si la connaissance de nos vies antérieures contribue à comprendre, parfois même à soulager certaines maladies, c'est dû en grande partie au fait que la connaissance des événements de nos vies antérieures, tout au moins de ceux qui ont une répercussion dans notre vie présente, permet d'aller directement à la racine de l'émotion. On peut dès lors comprendre le comment et le pourquoi de certaines de nos actions et de nos réactions, et de là amener les modifications qui s'imposent. On ne doit donc pas s'étonner de voir la santé des gens s'améliorer après une telle expérience réussie.

Mais si l'on est d'accord pour admettre que l'âme et le mental qui sont inséparables peuvent influer sur certaines maladies physiques, on est alors d'autant plus obligé d'admettre que l'esprit peut être à l'origine des problèmes psychiques ou mentaux. Cela revient donc à ce que j'écrivais plus avant, et qui s'explique par la nécessité d'équilibrer notre karma. En d'autres mots, que nous choisissons sans doute nos maladies parce qu'elles ont quelque chose de spécifique à nous apprendre, tout à fait comme nous choisissons de faire des choses qui ne sont pas nécessairement «bonnes» dans cette vie présente parce qu'elles nous feront du bien, sur le plan psychique ou physique.

Admettre cela c'est reconnaître que notre vie présente est en quelque sorte la prolongation d'autres vies; notre subconscient sachant cela, nous avons alors décidé de relever tel défi, ou d'affronter telle ou telle maladie simplement pour connaître cette expérience précise et en tirer une leçon. Choisir la souffrance en espérant se porter mieux après? L'idée n'est pas si absurde que certains le disent. Un exemple en est la confession telle qu'elle était perçue autrefois; une personne à la conscience chargée savait que de raconter ses incartades n'était pas chose facile mais elle le faisait tout de même parce qu'elle savait qu'elle se sentirait soulagée ensuite; autre exemple: nous nous soumettons à une intervention chirurgicale non pas par plaisir, mais parce que nous savons que nous nous sentirons mieux après.

Vu de l'angle karmique, la maladie est donc un état modifié de la conscience de soi. Et un état qui se répercute également dans notre perception de notre entourage. Qui oserait nier que la maladie modifie notre perception de la réalité? Même quelque chose d'aussi banal qu'un mal de tête peut nous faire voir le monde sous un autre jour! La prochaine fois que cela vous arrivera, ne manquez pas d'observer comment cette douleur lancinante devient votre première préoccupation.

Il suffit donc de comprendre — et d'admettre — que le fait que nous souffrions de certaines maladies ou de difficultés personnelles provient de ce que nous avons beaucoup à apprendre pour évoluer sur le plan spirituel.

Certains exemples, que j'ai mis à jour pendant que j'étais en transe vis-à-vis de personnes qui venaient me consulter, sont d'ailleurs révélateurs. En voici deux qui ont chacun leur intérêt.

Le premier est celui d'une femme de 37 ans que j'ai rencontrée et qui cherchait à vaincre ses vertiges.

Cette femme affichait une aura de base qui oscillait, à certains moments, entre le violet-rosé et le violet-bleuté, deux couleurs qui révèlent une forme de sentiment de rejet. Toutefois, chez cette femme ce rejet paraissait indéfinissable — et je me doutais qu'il était provoqué par des pensées négatives.

Dans sa vie antérieure, qui avait une relation de cause à effet sur sa vie présente, elle avait la même aura, quoique, cette fois, avec une légère teinte de gris, ce qui annonce un grand pessimisme.

Dans cette vie antérieure, qui se passait en France au début des années 1800, cette jeune femme nous est apparue au moment où elle avait 19 ans alors qu'elle était éperdument amoureuse d'un homme certes extraordinaire, mais pour lequel elle ne comptait malheureusement pas. Elle ne vivait que pour lui, et cherchait de toutes les façons à attirer son attention.

Il faut comprendre qu'à l'époque où cet événement se déroulait, les jeunes femmes ne pouvaient pas exprimer directement leurs sentiments à l'homme qu'elles aimaient; elles devaient attendre que ce dernier fasse les premiers pas, ou que ses parents prennent la «chose» en main. C'est d'ailleurs ce qui arriva lorsque ceux-ci furent convaincus que l'amour de leur fille pour cet homme n'allait pas disparaître ni même s'estomper avec le temps. Pour la rendre heureuse, les parents convièrent donc l'homme mais... il était trop tard. À peine dans la maison de ses hôtes, celui-ci, de bonne humeur, déclara à la maisonnée qu'il s'apprêtait à se marier. «Vous ne connaissez pas cette jeune personne puisqu'elle n'est pas d'ici», déclara-t-il.

Sur ces paroles, la jeune fille s'enfuit de la maison et, par dépit, tenta de se jeter au bas d'un précipice. Mais en vain. Après des heures passées à regarder le vide, à maudire le sort et à maudire son impuissance à mettre fin à ses jours, elle retourna chez elle.

Il ne lui fallut pas longtemps pour sombrer dans le désespoir. Elle se mit alors à dépérir à vue d'œil. Quelques mois plus tard, elle mourait d'un accident bête. Sa dernière pensée fut ce regret de ne pas avoir su mettre fin à ses jours quelques mois plus tôt lorsque la déception l'avait enveloppée.

Il y a deux leçons à retenir de cette vie antérieure et de la relation de cause à effet sur la vie présente de cette femme. La première: cette femme a eu un amour non pas malheureux, mais inaccessible. La deuxième: il était normal que cette femme, du fait qu'elle ait voulu se jeter du haut de cette falaise, éprouve des vertiges dans sa vie présente. À chaque fois qu'elle traversait un pont en voiture, surgissait du plus profond d'elle-même ce désir de faire ce qu'elle n'avait pas pu faire dans cette vie antérieure, c'est-à-dire se jeter dans le vide. Comme cela ne correspondait pas à son vécu présent, son corps réagissait en la faisant souffrir de vertiges.

Après avoir pris connaissance de cet événement survenu dans une vie antérieure, et après seulement quelques jours de réflexion, la femme réussit à vaincre son problèmes de vertiges. Il n'est plus jamais réapparu depuis, pas plus que le goût de se précipiter hors d'une voiture lorsqu'elle traversait un pont.

Autre cas intéressant, celui de cet homme venu me consulter à cause de nombreuses perturbations dans sa vie. À peine avait-il franchi le seuil de mon bureau qu'il me jeta: «Je ne peux pas et ne veux pas vous dire ce que j'ai, parce que d'abord c'est risible, et puis parce que je veux voir si vous êtes vous-même capable de déceler mon problème.»

J'admirai sa franchise.

J'appelai mes Maîtres spirituels et j'entrai rapidement en transe.

Je retrouvai cet homme dans une vie antérieure alors qu'il était un petit garçon de cinq ans vivant à Berlin, en Allemagne. Malgré le fait qu'il vécut dans une famille heureuse, il était un petit bonhomme replié sur lui-même, capable de rester prostré des heures et des heures. Il réalisa vers l'âge de six ou sept ans qu'il souffrait de nanisme, et qu'il ne grandirait plus. Cela provoqua chez-lui une certaine rancœur vis-à-vis de la vie.

Conscient des sentiments de son fils, le père chercha une façon de lui faire réaliser que la taille n'avait finalement que peu d'importance; il lui confia alors une responsabilité, persuadé que cela le valoriserait. La responsabilité était proportionnelle à son âge. Le père dit donc à son fils que tous les jours c'est lui qui serait responsable d'aller à la boulangerie chercher le pain pour la famille.

Ce que l'enfant se mit d'ailleurs à faire, non sans difficulté au début, le paquet était somme toute lourd pour son poids à lui, et le chemin à parcourir était plutôt long. Mais l'enfant se sentait fier de lui, il faisait enfin quelque chose de pratique, il sentait qu'il se rendait utile.

Si bien qu'il commença à s'ouvrir aux autres; son caractère s'épanouit, il jouait avec les enfants de son âge, il réussissait à l'école, bref, il prenait de l'assu-rance. Un jour, pour le punir parce qu'il avait commis une petite bêtise, son père lui dit: «Demain, tu n'iras pas chercher le pain.» Cette punition fut si terrible que l'enfant ne l'accepta pas. Il se voyait redevenir comme avant.

Durant la nuit, il s'enfuit, se perdit dans la campagne et ne fut retrouvé que plusieurs jours plus tard, et dans un triste état.

Comprenant l'importance qu'une telle responsabilité avait pour l'enfant, son père lui reconfia la même tâche qu'avant.

Le garçon a grandi, et il a eu un fils à son tour. Et à son tour, il lui dit comme son père l'avait fait des années auparavant: «Mon fils, je vais te confier une responsabilité. Tu rapporteras tous les jours le pain à la maison.» Le fils fit exactement comme son père avait fait. Il le fit toute sa vie; le dernier pain qu'il ramena à son père, il le lui remit alors que l'homme était à l'article de la mort. «Regarde, papa, lui dit-il ce jour-là, je t'ai rapporté un pain encore tout chaud, rien que pour toi.» Le père regarda alors son fils et lui dit: «N'oublie jamais, mon fils, que c'est grâce au pain si je suis moi-même devenu un homme, et c'est comme ça que j'ai compris ce que c'était que l'amour d'un père.» Quelques heures plus tard, l'homme s'éteignait.

C'en était assez pour le retour dans les vies antérieures; cette seule vie m'avait donné suffisamment d'indices pour que je puisse faire une première interprétation à l'homme venu me consulter.

Je lui ai d'abord demandé quel rapport il pouvait y avoir entre lui, son père et le pain. L'homme, visiblement étonné par cette question, m'a alors dit: «Je vais vous dire la raison pour laquelle je suis venu vous voir: je souffre de boulimie, et j'aime particulièrement le pain. Je peux manger jusqu'à cinq ou six baguettes de pain français par jour. Je me lève même parfois la nuit pour en manger! J'ai maintenant 33 ans, j'ai consulté de nombreux spécialistes, mais personne n'a pu réussir à me guérir.»

Je lui ai alors demandé quels étaient ses rapports avec son père? Il m'a confié qu'il n'avait jamais connu son père, mais que sa mère lui avait toujours dit que c'était un homme formidable qu'elle a aimé à la folie. Même en sachant qu'il n'était que de passage au Canada, ils ont eu une liaison de laquelle je suis né.

Pour moi, le constat était évident: la boulimie dont souffrait cet homme n'était qu'une façon pour lui de retrouver la vibration de ce père qui lui avait cruellement manqué, ce n'était ni plus ni moins qu'un exutoire qui lui permettait de fuir sa vraie préoccupation qui n'était finalement que de retrouver son père. Le jour où il admettra qu'il vous ne pourra jamais le retrouver, son problème de boulimie disparaîtra. Il a donc le choix de continuer comme il est présentement, mais il a aussi la possibilité surmonter cette épreuve, et d'équilibrer son karma.

Une vingtaine de jours plus tard, l'homme me téléphona pour me dire que son problème avait disparu du jour au lendemain, dès le moment où il avait compris la cause de son problème, et les effets que celui-ci entraînait dans sa vie présente. De plus, il avait réalisé qu'il pouvait empêcher que ces événements d'une vie antérieure n'aient de répercussion sur sa vie présente, il a agi.

Quatorze mois plus tard, l'homme m'a téléphoné de nouveau, mais cette fois pour m'annoncer qu'il venait de se marier. Nous nous fréquentions depuis peu, mais lorsqu'elle est devenue enceinte, je n'ai pas hésité un seul instant. Depuis, me dit-il, je ne pense qu'au moment où, à mon tour, mais dans cette vie bien réelle, je pourrai confier à mon fils la responsabilité d'aller chercher du pain.

Heureuse conclusion, non?

Mais c'est cet homme qui a trouvé la solution, pas moi.

C'est ça le libre arbitre, la possibilité de modifier son karma.

Ce qu'il faut surtout retenir de ces expériences où l'on est amené à découvrir des événements vécus dans nos vies antérieures, c'est qu'il est très rare que ces expériences ne recoupent pas d'une façon ou d'une autre un ou des problèmes de notre vie présente.

-7-

LE PASSÉ INDISSOCIABLE DU PRÉSENT

L e désir de vérité et de connaissance est le premier pas sur le chemin de la sagesse et de l'illumination. Lorsque nous découvrons notre vérité et que nous prenons conscience de la connaissance qui est en nous, nous nous engageons sur le chemin menant à la compréhension de notre véritable nature spirituelle. En poursuivant dans cette voie, nous développons ce qu'il faut appeler notre sagesse spirituelle et nous reconnaissons dans notre âme cette énergie immortelle et éternelle, qui est la nôtre. En même temps, nous comprenons comment l'énergie de notre âme et de notre mental s'exprime et se manifeste à travers notre incarnation physique. Quiconque parvient à ce stade de connaissance et de sagesse voit son vécu et ses expériences lui apparaître en toute clarté.

L'énergie existe, et elle ne s'éteindra jamais.

On sait et on admet généralement que toute chose est composée de vibrations d'énergie qui se manifeste sous des formes diverses. Mais on admet plus difficilement — et c'est pourtant réalité — que nous sommes nous aussi une énergie spirituelle incarnée sous une forme physique. Cette énergie qui est l'essence de chaque être comporte différents niveaux: notre moi intérieur est tout entier fait de vibrations de croyance et de sentiments, tandis que notre moi supérieur est vibration de vérité et de connaissance. Enfin, notre âme est vibration d'énergie pure, de conscience et d'illumination — c'est elle qui s'exprime à travers les énergies de nos moi intérieur et supérieur et se manifeste dans notre vécu.

Chaque vibration d'énergie a ses propriétés et ses qualités. Lorsque nous changeons de niveau d'énergie, nous entrons en contact avec une nouvelle vibration et nous en comprenons inconsciemment les qualités et propriétés. Lorsque nous élevons notre niveau de conscience au-dessus des énergies physiques, nous expérimentons les niveaux supérieurs de l'énergie et découvrons la vérité et la connaissance qui sont en nous. Du coup, la possibilité nous est aussi donnée de comprendre notre âme et la nature de nos expériences.

LE CHEMIN
VERS LA CONSCIENCE

Nous nous exprimons tous à travers notre nature qui est éminemment personnelle. Cependant, chaque niveau de conscience nous fait connaître des vibrations d'énergie différentes, ces différents niveaux de vibration constituent la base des niveaux supérieurs de conscience. Puisque nous sommes une énergie spirituelle, nous avons donc le pouvoir d'influencer et de modifier cette énergie. Nous le faisons grâce à nos croyances qui sont l'instrument premier qui modèle l'énergie de notre vécu. Nous canalisons, modifions et dirigeons l'énergie selon nos pensées, nos sentiments et nos émotions; ceux-ci déterminent donc tout ce que nous vivons et la façon dont l'énergie se manifeste dans notre vie. Notre façon de percevoir nos expériences crée notre réalité physique.

Il nous faut donc réaliser que nos sentiments ne sont finalement que le résultat de nos croyances, et nos expériences en sont la manifestation pratique. Nos pensées sont provoquées par nos sentiments et nos expériences, avant d'être transformées en vérité et connaissance. À mesure que nous comprenons nos pensées, nos sentiments, nos émotions, ainsi que nos expériences, notre conscience s'accroît. Nous découvrons en elle l'essence de notre âme et nous comprenons notre nature spirituelle.

On peut s'imaginer l'énergie sous une forme pyramidale dont la puissance ne cesse d'augmenter. Puisque nous sommes énergie, nous nous élevons nous aussi sous forme de pyramide à l'aide des énergies de nos moi intérieur, supérieur, et de notre âme. Nous commençons par notre moi intérieur en entrant en contact avec nos sentiments. Lorsque nos réactions aux expériences que nous vivons nous apparaissent avec netteté, nous prenons conscience de notre vérité intérieure. Lorsque nous acceptons enfin cette vérité, notre savoir augmente et notre conscience s'accroît.

Quand nous parvenons à élever notre conscience au niveau qui nous permet de comprendre la vibration d'énergie de notre âme, nous acquérons alors une conscience spirituelle. Grâce à elle, nous pouvons voir au-delà des manifestations physiques de nos pensées, de nos sentiments, de nos émotions et de nos expériences, par cette sagesse totale de la connaissance qu'est le nirvana. Les vibrations d'énergie du moi intérieur, du moi supérieur et de l'âme sont donc autant de pas vers la vérité et l'illumination.

Vers l'imagination aussi.

Car l'imagination recèle un potentiel extraordinaire, mais pour pouvoir le mettre à profit adéquatement il faut de la précision et de la concentration. Quelqu'un qui peut se représenter clairement, en imagination, une image mentale d'un objet ou d'un événement qu'il souhaite voir survenir dans sa vie présente le verra effectivement se réaliser. Plus on se représente cette image dans tous ses détails, plus on pourra la projeter avec force et puissance et aider à sa concrétisation sur le plan matériel, sur le plan réel.

Bref, il suffit d'agir en tout temps comme si nos plus grands rêves étaient déjà réalisés et... ils se réaliseront!

Pour agir ainsi, cependant, il nous faut croire profondément, sincèrement, à cette grande puissance qui nous habite. Lorsqu'on décide de s'ouvrir aux grandes richesses, à l'intelligence, à l'harmonie et à la puissance de l'Univers, on se doit d'y avoir une foi totale.

Car il ne faut pas oublier que c'est l'imagination qui crée la réalité, hors de l'imagination il n'y a point de salut.

COMMENT JE VOIS LES AURAS, COMMENT JE LES COMPRENDS

Nous l'avons vu tout au long de ce livre, l'idée généralement acceptée par ceux qui croient en la réincarnation et qui défendent l'idée que nous avons tous vécu d'autres vies avant celle-ci, c'est que nous choisissons, avant même notre naissance, ce que nous vivrons et affronterons dans la vie à venir. En d'autres termes, les bons moments aussi bien que les moments plus difficiles font partie de nos choix, comme celui de naître dans telle ou telle famille. C'est donc dire qu'à partir de cet instant une certaine ligne de vie est déterminée. Nous ne pouvons donc, en toute conscience, en vouloir à nos parents puisque c'est nous qui les avons choisis; que nous soyons mal aimé ou trop aimé, que nous soyons mal compris ou incompris, tout cela nous l'avons choisi, avant même de prendre possession de notre nouveau corps éthérique, dans le but d'équilibrer notre karma.

C'est la loi du karma — de cause à effet — qui donnera l'orientation générale à notre vie; 70 pour cent de notre vie sera déjà déterminée à partir de pensées entretenues, de gestes faits et d'expériences vécues dans nos vies antérieures. Il reste tout de même 30 pour cent des événements à être précisés, modelés, décidés, et cela le sera grâce à notre libre arbitre. C'est avec lui que nous pouvons influer directement sur les choix que nous avons déjà prédéterminés; nous pouvons vaincre le karma, ou encore nous en créer d'autres, grâce à nos actions.

Ce pourcentage qui semble bien mince en regard du pourcentage d'événements et de situations que nous avons déterminés pour équilibrer notre karma, et qui paraissent immuables, a pourtant une importance déterminante dans nos vies. Car ce 30 pour cent nous permet de modifier bien des données et de changer bien des situations, plus qu'on ne le croie même au premier abord. C'est d'ailleurs la raison pour laquelle nous sommes en constante évolution.

Dès que le cordon ombilical est coupé, il y a ce qu'on appelle le cordon d'argent — un état vibratoire —qui est mis en place et qui relie l'âme au corps. Nous abandonnons alors notre état de pur esprit pour redevenir un être humain. Lorsque ce cordon d'argent est installé, une première couleur se dessine autour de notre corps: c'est ce que l'on appelle la couleur de base, c'est celle qui nous influencera tout au long de notre vie.

DES COULEURS:
QUELLES COULEURS?

Lorsqu'on parle des auras, on évoque des couleurs. Mais les choses ne sont pas aussi simples que certains nous le laissent croire lorsqu'on nous dit qu'une telle couleur signifie telle chose, qu'une telle autre, telle autre chose, etc. Parce que les couleurs c'est quelque chose de bien subjectif. Lorsqu'on dit «rouge», quelle est exactement la couleur que nous évoquons? Rouge pompier? Rouge pomme? Rouge comme les feuilles des arbres à l'automne? Mais vous avez aussi, peut-être, un autre rouge à l'esprit? Dans l'imprimerie, où l'on utilise sans doute la plus grande palette des couleurs, on offre pas moins de mille sortes de «rouge». C'est beaucoup, croyez-vous? Sans doute. Mais bien peu comparé à la modulation que nous offre le cosmos où l'on retrouve pas moins de 12 500 variétés de rouge, et encore faut-il considérer les distinctions de chacune d'elles puisque, selon ses nuances, la même couleur peut être perçue comme positive ou négative. Nous parlons donc de 25 000 possibilités, seulement pour la couleur rouge.

Comme il y a sept couleurs dans le prisme de base, ce sont sept fois 25 000 possibilités qui nous sont offertes. Et ce n'est pas tout! Parce que deux couleurs peuvent nous «résumer» en même temps, l'une pour l'état de notre santé ou de nos actions physiques, et l'autre pour l'état de notre santé ou de nos actions psychiques. Bref, une chatte y perdrait ses petits!

Il y a plus de gens qu'on ne l'imagine qui voient ou qui perçoivent les auras mais cela ne signifie pas pour autant que nous sommes tous capables d'exprimer ce qu'elles signifient. Il faut y consacrer énormément de temps — je parle ici en terme d'années — pour comprendre et nuancer les définitions. En raison de l'immense variété de couleurs, établir des diagnostics est très difficile et fort complexe. Cela ne nous empêche cependant pas, en tenant compte des nombreux facteurs qui interviennent, dont le moindre n'est pas l'équilibre objectivité-subjectivité, à tracer un portrait général de la signification des couleurs qui se manifestent le plus souvent.

-8-

CE QU'ON APPELLE LES COULEURS DE L'AURA

Il y a deux couleurs dont il faut tenir compte lorsqu'on fait l'étude ou l'analyse des couleurs de l'aura. La première est la couleur de base, c'est-à-dire celle qui trace la ligne directrice de notre vie; la seconde est la couleur dominante, c'est-à-dire celle qui «racontera» en quelque sorte nos pensées, nos gestes et nos attitudes à chaque moment de notre vie. Pour bien expliquer comment cette couleur dominante peut se modifier, imaginons que nous regardons un film, un *thriller*. Lorsqu'un crime est commis, nous ressentons — consciemment ou non, et il en sera toujours ainsi — une certaine angoisse; c'est qu'une couleur bien particulière nous auréole alors. Lorsque le «méchant» s'acharne sur sa victime, une autre couleur apparaîtra, selon le sentiment que nous ressentons: de la peur, de la pitié, de la compassion peut-être. Brusquement, un policier apparaît: nous sommes soulagé, notre aura se modifie et reflète ce sentiment. Et il en est ainsi au fil de chaque séquence. Mais si cela peut s'appliquer pendant que nous regardons un film, cela est aussi vrai lorsque nous rêvons ou que nous vivons au quotidien. La couleur dominante est donc celle qui reflète notre état d'être à chaque moment de notre vie en fonction des expériences et des situations que nous vivons.

Revenons à la couleur de base, celle que nous avons dès notre naissance — que nous avons nous-même choisie avant notre naissance en faisant le choix des événements que nous allons vivre dans notre vie présente. Celle-ci reflétera notre personnalité profonde; par exemple, si notre couleur de base révèle que nous avons une mauvaise image de nous-même, quoi que nous fassions nous aurons toujours une mauvaise image de nous-même, et cette couleur sera toujours présente (dans ce cas, ce serait vraisemblablement le violet-rosé). Comme nous pouvons le constater, les couleurs de l'aura ont un rapport direct avec notre karma.

Grâce à mon expérience comme transmédium, et après avoir observé pour d'autres les événements de leurs vies antérieures, j'ai réussi à établir certains paramètres qui me permettent aujourd'hui de définir avec une précision certaine la signification des couleurs des auras que l'on retrouve le plus souvent. Jetons donc ensemble un coup d'œil sur ces couleurs — soulignons que nous retrouvons ici les caractéristiques des couleurs de base. Et rappelons-nous que si chaque couleur représente nos qualités, elle représente aussi nos défauts.

LE ROUGE:
LE POUVOIR

La couleur rouge, qui est le chakra des racines, nous indique que nous possédons tout ce qui nous est nécessaire pour parvenir à une parfaite maîtrise de nous-même. C'est une couleur et une qualité exceptionnelles. Cependant, c'est en quelque sorte une arme à double tranchant puisque si nous ne parvenons pas à avoir le plein contrôle de nous-même, nous serons alors habité par un sentiment d'impuissance qui risque de miner notre vie tout entière. Et cela est aussi vrai sur le plan physique que sur le plan psychique.

Par exemple, si nous avons les éléments nécessaires pour stimuler le psychique ou la formation d'hémoglobine, nous serons avantagé puisque nous pourrons combattre — et vaincre — la timidité, mais aussi l'anémie ou le lymphatisme. Si toutefois ces éléments nous font défaut, non seulement serons-nous habité par un sentiment d'impuissance, mais cela se traduira par un manque de vitalité. Nous chercherons, bien sûr, à vivre pour nos désirs ou pour nos passions mais, comme nous devrons redoubler d'efforts pour les atteindre, cela nous amènera à réagir avec égoïsme, méchanceté, et parfois même avec haine.

C'est que le symbole de la couleur rouge est le pouvoir et le dynamisme; ce sont les racines, donc la terre, la force vitale, mais il faut également comprendre qu'en même temps nous devons composer avec son opposition. C'est-à-dire que si nous ne vivons que pour satisfaire nos sens, nos désirs et nos appétits, nous ne pourrons parvenir à un certain équilibre.

Dans la symbolique de cette couleur, il ne faut pas perdre de vue ce qui suit: le rouge est la couleur du pouvoir. Mais il faut exploiter celui-ci à bon escient, savoir l'exercer pour des causes justes. Le rouge nous donne la ténacité, une qualité qui peut toutefois rapidement devenir un défaut pour quiconque persiste dans ses erreurs; le rouge donne de l'énergie, un avantage encore, mais à condition que ces énergies soient orientées vers des actions positives. Sinon, elles peuvent être destructrices.

Le rouge, qui nous indique que notre élément est la terre, nous montre aussi que nous devons viser l'harmonie, non seulement avec nous-même, mais également avec tout ce qui nous entoure, la terre, l'univers, le cosmos. En harmonie avec nous-même, nous serons irradié par une chaleur bienfaisante extraordinaire, au propre comme au figuré, nous serons à l'aise dans tout ce que nous entreprendrons. Malheureusement, si nous ne visons pas l'harmonie, nous risquons fort de vivre des événements très perturbés.

LE JAUNE:
LA SAGESSE

La couleur jaune symbolise une certaine forme de sagesse que nous avons en nous-même, une sagesse qui nous vient de vies antérieures qui sont peut-être lointaines mais qui a, en quelque sorte, besoin d'être adaptée à notre vie présente. Au fur et à mesure que nous comprendrons — mieux encore, que nous admettrons — que c'est la sagesse qui nous apportera la plénitude, et que nous avons en nous l'essence même de cette sagesse, alors nous pourrons avoir un meilleur contrôle sur notre mental. Nous saurons vraiment le diriger.

Ce pouvoir serait comparable en une certaine façon à la transmutation du fer en or! C'est que, grâce à cette sagesse, nous pourrons nous transformer nous-même, et ce, tant sur les plans psychique, mental que physique.

Toutes les informations qui nous parviendront, consciemment ou non, seront transmutées d'une façon positive dans notre corps, comme dans notre façon de voir les choses et de penser. Mais il y a tout de même une opposition: bien souvent lorsque nous sommes auréolé de jaune nous sommes animé par une certaine agressivité, qui peut être physique, bien sûr, mais qui peut aussi être simplement verbale. Mais, quelle qu'elle soit, cette agressivité risque de nous perturber puisqu'elle se transformera bien souvent en une certaine forme d'égoïsme qui, à son tour, engendrera d'autres désordres. Lorsque notre couleur de base est le jaune, il faut donc bien prendre soin de viser à atteindre notre équilibre entre le positif et le négatif.

Cependant, il convient de le souligner, puisque l'élément de la couleur jaune est le feu, cela nous procure une très grande force intérieure.

LE BLEU:
LA LOYAUTÉ

Si nous sommes auréolé par la couleur bleue, les aspects positifs que cela nous révèle disent que nous avons les éléments nécessaires pour faire preuve d'une grande compréhension, tant vis-à-vis des gens que des événements. Mais il faut tout de même prendre garde car certaines «informations» que nous recevons deviennent tellement fortes qu'elles peuvent nous perturber. Parfois parce qu'elles aiguiseront une certaine tendance à l'autoritarisme qui sommeille en nous, parfois aussi parce qu'elles susciteront certaines craintes. Dans l'une comme dans l'autre de ces possibilités, le risque — à moyenne échéance — est que nous nous refermions sur nous-même, que nous nous privions de cette paix et de cette quiétude qui nous sont essentielles pour évoluer.

Cependant, nous avons également en nous les éléments de ce qui est appelé «principe de vibration», c'est-à-dire les rudiments d'une connaissance qui nous permet de faire la synthèse entre les deux parties du cerveau, l'hémisphère nord et l'hémisphère sud, dont chacune va nous procurer différentes formes de satisfaction dans nos relations. Il faudra tenir compte de l'opposition de ce principe, c'est-à-dire que nous risquons d'être constamment insatisfait parce que nous chercherons toujours à pousser plus loin nos désirs. Cette insatisfaction risque de nous faire oublier l'essentiel.

Comme nous pouvons le constater, les oppositions sont aussi fortes que les aspects positifs — et il en est ainsi pour chaque couleur.

La symbolique de cette couleur nous indique toutefois que nous voulons nous élever sur tous les plans, que l'évolution est un principe important pour nous. Nous sommes loyal vis-à-vis de nous-même et nous chercherons également à être loyal vis-à-vis des autres. C'est d'ailleurs l'élément prédominant de cette couleur.

Mais quelle que soit l'action à laquelle nous nous consacrerons, il faudra tenir compte des oppositions qui seront omniprésentes; si nous le faisons, nous pourrons effectivement évoluer harmonieusement vers un équilibre prometteur. Si nous ne le faisons pas, au fil du temps l'aura bleue risque de se modifier et tendra à devenir violet-rosé, ce qui signifie que nos désirs dépasseront nos possibilités. Nous prendrons alors de plus en plus conscience que nous ne pouvons acquérir ou atteindre ce que nous désirons et nous en ressentirons une certaine amertume. Notre vie risque alors de perdre tout attrait.

LE VERT: L'HARMONIE

L'aspect positif de la couleur verte révèle que nous sommes quelqu'un qui a tendance à pardonner, même à oublier, les erreurs que les autres ont pu commettre — à notre égard. Nous avons confiance en nous-même. Nous croyons aux qualités de l'homme, et c'est pour nous quelque chose d'essentiel. C'est la raison qui nous amène à privilégier le beau et le bien, et à balayer le laid et le mal. Ce ne sont pas que des notions, c'est une perception que nous appliquons dans notre vécu quotidien.

Mais il faut tenir compte des aspects négatifs de la couleur verte, l'opposition. Celle-ci peut se manifester par une certaine forme de jalousie, laquelle peut mener à la possessivité et à l'hypocrisie. Cette opposition peut d'ailleurs devenir si forte et si présente qu'elle risque d'annihiler tout aspect positif de notre personnalité. D'autres couleurs risquent alors de se mêler au vert, ce qui engendrera des conséquences désastreuses sur notre évolution.

Heureusement, lorsque nous avons une aura de couleur verte, nous avons aussi généralement un certain équilibre inné. Nous pouvons donc, dans la plupart des circonstances, réduire l'effet d'opposition de cette couleur. Cela ne se fera toutefois pas sans effort...

Mais si l'on retient que la clé de notre évolution, matérielle, physique, psychique et spirituelle est l'harmonie, et que nous avons cette harmonie en nous à l'état de veille, rien ne saura jamais vraiment nous freiner définitivement.

L'ORANGE: LA SENSIBILITÉ

Parce que la couleur orange est le résultat d'un mélange d'autres couleurs, elle reprend les aspects positifs de chacune de ces couleurs, avec légèrement moins de force cependant, mais cela nous permet d'avoir une excellente perception du but de notre vie. Ayant connaissance de cette finalité, nous avons confiance en nous-même, sommes courageux, puisque nous savons quelle sera notre voie. Cela nous mènera naturellement à traiter les autres avec respect — avec sensibilité, serait-il plus exact de dire. La communication pourra nous ouvrir des horizons merveilleux et prometteurs.

Mais voilà! L'opposition est à la hauteur des promesses qui nous sont faites. C'est-à-dire que si nous succombons aux aspects négatifs, nous pouvons emprunter le chemin contraire — que Dieu nous en garde! Car à ce moment-là nous manquerons de confiance en nous-même, cela pourrait nous inciter à être superficiel dans nos relations avec les autres, à devenir manipulateur, voire asocial.

Lequel des aspects dominera? Cela dépendra de chacun de nous. Si nous comprenons les véritables motivations de notre venue sur terre, si nous sommes convaincu de notre «mission», si nous croyons en ces buts que nous «devinons», les aspects positifs prendront inévitablement le dessus. Mais si nous ne parvenons pas à définir notre vie, si notre perception des buts que nous avons à atteindre nous échappe, il y a de forts risques que nous cédions aux aspects négatifs.

Rappelons qu'il est très difficile d'expliquer avec précision la signification de chaque couleur puisque chacune est en relation avec une autre couleur; cela ouvre donc la voie à une gamme quasi infinie de possibilités. Chaque association de couleurs pourra avoir ses effets particuliers sur notre personnalité et sur nos actions. Cependant, dans ce cas-ci, nous pouvons établir les données de base énumérées ci-dessus.

L'aspect dominant de tous ces faits sera toutefois la grande sensibilité qui nous habitera et nous animera si nous sommes auréolé de la couleur orange. Il y a bien des avantages à qui sait mettre à profit les aspects positifs.

L'INDIGO:
LA CLAIRVOYANCE

Une aura de couleur indigo révèle que nous nous sentirons à l'aise sur la terre. Cette couleur recèle tous les éléments indispensables à une existence heureuse. D'autant plus qu'au cours de notre vie nous pourrons accentuer les vibrations rattachées à celle-ci.

À cause de ces vibrations fort positives, nous sommes favorisé pour développer le don de clairvoyance, à condition, bien sûr, que cette couleur soit en harmonie avec les autres couleurs qui ne manqueront pas d'apparaître à un moment ou à un autre de notre vie.

L'opposition qu'il y a avec cette couleur nous conduit parfois à être des personnes indisciplinées; or, pour atteindre nos buts, il faudra réaliser que la discipline nous est absolument indispensable. Ce manque de discipline amènera aussi parfois une certaine difficulté à vivre au présent; parce nous sommes des personnes qui voulons aller si loin que nous croyons que nous allons manquer de temps, nous cherchons souvent à courir avant d'avoir appris à marcher. Cela ne mène généralement pas très loin...

Si nous ne parvenons pas à maîtriser notre indiscipline, notre clairvoyance risque de se retourner contre nous, c'est-à-dire qu'elle va nous aveugler à un tel point que nous ne saurons plus exactement ce nous faisons. Nous serons aveuglé par la passion, désabusé par notre facilité à «découvrir» les autres, ou encore animé par un certain laisser-aller vis-à-vis de la vie qui nous semblera ne plus avoir de secret.

Nous serions alors prisonnier de l'opposition. Et la peur — de tout et de rien — pourrait s'insinuer en nous. Ce qui serait la pire chose qui pourrait nous arriver.

LE VIOLET:
LA SPIRITUALITÉ

On assimile toujours le violet à la spiritualité, avec raison d'ailleurs. Car cette couleur nous montre que nous avons la possibilité d'accéder à une très grande spiritualité. Attention! Ce n'est pas quelque chose qui se produira forcémment, c'est simplement que nous sommes plus favorisé que d'autres pour la compréhension des notions et des valeurs spirituelles.

Né sous cette couleur, nous sommes favorisé sur plusieurs plans. Car, outre cette spiritualité, innée pourrions-nous dire, nous avons la chance d'avoir une grande compréhension des gens et des choses. Si nous parvenons à équilibrer ces deux qualités extraordinaires, nous serons alors animé par les sentiments les plus beaux et les plus nobles. Car nos valeurs spirituelles dépasseront le stade du simple principe, ou de la simple idée; nous chercherons à traduire au quotidien ces valeurs fondamentales qui nous sont inspirées de Dieu. Notre entourage devrait grandement profiter de notre présence. Notons aussi que le violet est également une couleur qui nous prédispose à la projection astrale.

L'opposition qui réside dans cette couleur est cependant très forte. Nous risquons d'être tenté de vivre dans un univers de rêve que nous pourrions nous créer. Du coup, nous serions coupé de tout contact avec la réalité et nos paroles et nos gestes n'auraient plus aucune portée. Voilà donc le danger qui nous menace le plus.

Nous avons tous les éléments pour favoriser une grande spiritualité mais, en même temps, l'opposition risque de nous mener dans un monde coupé de la réalité. Si nous ne parvenions pas à trouver l'équilibre qui nous permettra de faire la distinction entre le rêve et la réalité, nous risquerions alors de ressentir une profonde insatisfaction vis-à-vis de notre vie, insatisfaction qui serait d'ailleurs dirigée avant tout contre nous. Nous risquerions alors d'être plongé dans le désarroi le plus complet.

Heureusement, nous réussirons généralement à contrôler notre imagination, et nous aurons une grande facilité à capter les énergies et les vibrations très fortes du violet. Ces énergies et ces vibrations devraient d'ailleurs nous permettre d'amortir les vibrations négatives car, dans le violet, les aspects positifs sont indéniablement plus forts que les aspects négatifs.

LE VIOLET-ROSÉ: LE TOURMENT

Une aura de couleur violet-rosé nous permet d'augmenter et d'harmoniser les vibrations de l'hémisphère nord et de l'hémisphère sud de notre cerveau. Cela fait de nous des personnes qui ont une aisance naturelle à faire la synthèse de l'objectif et du subjectif, tout en favorisant l'émergence d'un talent sur le plan de la création. De nombreux peintres, de nombreux romanciers et de nombreux musiciens ont d'ailleurs une aura de cette couleur. On n'en connaît pas la raison, mais on sait que les uns comme les autres ont ce pouvoir de synthèse qui leur permet non seulement de créer, mais aussi, et surtout, de communiquer ces œuvres qu'ils ont créées.

Disons que, les aspects négatifs d'une aura de cette couleur sont lourds à assumer, et bien rares sont ceux qui parviennent à y résister. Je donnerai l'exemple de la romancière Françoise Sagan — qui a écrit des choses remarquables — mais qui a été piégée par les aspects négatifs de son aura. Elle n'est pas la seule, mais son exemple est révélateur.

Malgré de beaux succès littéraires, mais à cause de pensées négatives insufflées par son aura violet-rosé, l'auteure est devenue indifférente à la vie, et probablement par tristesse, par dépit, ou pour quelqu'autre raison, elle a plongée dans la drogue. Sa vie a pris un chemin cahoteux duquel elle a eu bien du mal à se sortir. Les personnes qui peuvent parvenir à un équilibre objectivité-subjectivité croient qu'elles pourront toujours garder ce même contrôle et cette même analyse des événements et

des situations. Or, il n'en est rien. Il arrive que le contrôle nous échappe et, de là, nous n'arrivons plus à
maîtriser nos émotions. Nous sommes alors envahi par
un sentiment d'impuissance qui nous conduit à une
certaine lassitude face à la vie. Nous n'avons alors plus le
goût de faire quoi que ce soit.

Nous sommes alors appelé à vivre une période tour-
mentée. Ce dysfonctionnement est essentiellement
provoqué par un désaccord entre les côtés gauche et
droit du cerveau; l'harmonie ne pourra être retrouvée
qu'au moment où il y aura un meilleur équilibre entre
l'hémisphère gauche et l'hémisphère droit. Mais, pour
atteindre cet équilibre vital, il nous faudra malheureusement traverser des périodes difficiles, parsemées d'em-
bûches.

ARGENT: LE DON DE SOI

L'argent étant une couleur intermédiaire, cette aura représente en quelque sorte notre potentiel à capter de
bonnes vibrations — des vibrations rassurantes, apai-
santes. Cette couleur indique également que la personne dont elle émane possède des qualités indéniables,
notamment en ce qui a trait à la résolution de problèmes,
qu'ils soient rattachés à la vie personnelle, qu'ils soient
en relation avec l'environnement social ou encore avec
le milieu de travail. Il s'agit également d'une personne qui
est animée par une grande, très grande créativité, spécialement sur le plan professionnel.

Cette personne est capable de faire des gestes spon-
tanés; elle a ce que l'on appelle un «grand cœur» — elle

n'hésite pas à faire don d'elle-même lorsque cela s'avère nécessaire; c'est une personne qui apprécie et goûte profondément la nature qui représente un tout qui lui paraît fascinant.

D'ailleurs, cela relève incontestablement de cette autre caractéristique de sa personnalité qui trahit un attrait pour tout ce qui lui semble mystérieux, qu'elle ne comprend pas, mais qui la fascine, ne serait-ce justement qu'en raison de l'énigme que cela représente pour elle.

Cela trahit, en un certain sens, une certaine forme de clairvoyance, quoique mal reconnue et mal comprise. La personne qui réussirait à exploiter cet aspect, à le comprendre, pourrait faire de grandes choses en relation avec le monde ésotérique.

Bien sûr, on ne peut pas ne pas tenir compte de l'opposition de cette couleur. La couleur argent révèle ainsi que cette personne, malgré toute la générosité qui peut l'habiter, a parfois tendance à se montrer égoiste, tout particulièrement lorsqu'il est question d'argent. C'est aussi quelqu'un qui peut avoir des sautes d'humeur, montrer une tendance à facilement devenir colérique; pourtant, il n'en demeure pas moins que ce n'est pas quelque chose de foncièrement ancré dans sa nature. À preuve, lorsque cette personne réalise qu'elle affiche ces traits caractériels, qu'elle est «déplacée», peut-être même qu'elle se sent insupportable pour son entourage, cela la fera se sentir insécure et elle cherchera alors à se faire pardonner.

Enfin, c'est également une personne qui peut montrer beaucoup de nervosité, laquelle aboutit finalement à un certain nombre de malaises, tant sur le plan physique

que psychique. Souvent, cela peut se contrôler, voire se "guérir" en un certain sens, mais parfois aussi cela peut conduire à une insatisfaction profonde et engendrer son lot de drames. Dans ce cas précis, la couleur argent sera mêlée à une autre couleur.

OR:
LA COMPRÉHENSION

La couleur or, en ce qui concerne les auras, est également considérée comme une couleur intermédiaire; elle indique que la personne dont elle émane est capable de comprendre et de vivre profondément l'instant présent, de profiter du positif mais aussi de comprendre le négatif. Cela peut certes sembler quelconque, mais il n'en est rien puisque c'est une qualité — une faculté? — très rare. La personne qui la possède, et qui a pleinement conscience d'en être dépositaire, est quelqu'un dont l'évolution sera constante sur tous les plans de sa vie, qu'il s'agisse du travail ou des finances, que spirituel ou moral, tant dans la perception que cette personne aura d'elle-même que de celle qu'elle aura de son entourage.

C'est une personne qui peut également avoir des pensées métaphysiques, mais encore faut-il qu'elle puisse les réaliser — elle peut avoir des aspirations élevées et généralement vouloir les atteindre ou les réaliser.

En ce sens, d'ailleurs, la couleur or symbolise la maturité, la sagesse et la stabilité — cela ne signifie pas que cette personne ne traversera pas des moments difficiles, mais cela indique surtout que, grâce justement à cette maturité et cette sagesse évoquées, elle atteindra immanquablement la maturité.

Il faut toutefois souligner que la personne dont l'aura est or peut ressentir des peurs et des malaises qui auront une incidence directe sur son physique, alors que ces peurs et ces malaises sont pourtant, très souvent, déraisonnés et sans commune mesure avec la réalité.

Enfin, cette personne est très souvent matérialiste alors qu'il ne le faudrait pas. C'est quelque chose dont elle doit se méfier.

LE BLANC:
LA CONSCIENCE
ET LA CONNAISSANCE
ET LE RETOUR DANS
LES VIES ANTÉRIEURES

Beaucoup de gens aimeraient avoir une aura de couleur blanche, car cette couleur est en principe le symbole de la conscience du dieu total. C'est aussi le symbole de la pureté. Mais au-delà de cette conscience et de cette pureté, ce qu'il faut surtout retenir d'une aura blanche est le fait que nous avons retenu les leçons que nous avons apprises au cours de nos vies antérieures. Cela ne signifie pas nécessairement que nos vies antérieures vont se manifester plus facilement que chez d'autres, mais que nous serons plus apte que les autres à aller puiser dans ce que l'on peut appeler notre connaissance intérieure (qui est en réalité la somme des intelligences et des expériences que nous avons acquises au fil de nos vies) pour surmonter les épreuves auxquelles nous serons confronté dans notre vie présente.

Bref, s'il est acquis que nous apprenons généralement de nos erreurs, il faut donc admettre que, dans ce cas-ci, en pouvant puiser dans nos différentes expériences, nous pourrons évoluer plus rapidement et plus facilement.

Même si l'on défend, en théosophie, le fait que nous ayons mille vies pour comprendre les mystères de la vie et tout le processus de l'évolution, il ne faut pas oublier que depuis notre naissance c'est notre couleur de base qui oriente notre vie, et celle-ci est toujours en accord et en relation avec nos vies antérieures.

On ne sera pas sans remarquer quelques similitudes entre les aspects positifs des auras de couleur or et de couleur blanche, c'est que les deux ne sont pas totalement indépendantes. Il arrive même que les deux soit étroitement mêlées. Ainsi, l'énergie cosmique en tant que telle est de couleur blanc-doré. Lorsque cette énergie passe à travers nous, nous ne ressentons pas ses vibrations pour la plupart. Et pour cause! Si nous la ressentions, nous serions tranfiguré, considéré comme un saint.

LE NOIR: LA MORT

Il n'y a guère d'aspect positif à une aura de couleur noire car celle-ci représente la haine, la malice, la magie noire, les basses superstitions et la mort, bien entendu. Heureusement, le noir profond est une couleur plutôt rare; généralement le noir teintera des auras d'autres couleurs.

Qui sont les personnes auréolées de noir? Des personnes bien peu fréquentables! Ce sont les personne haineuses, rancunières, pleines de malice, des personnes qui ne pensent que par et pour le pouvoir et la domination. Des personnes qui sont prêtes absolument à tout pour satisfaire leurs désirs et leurs rêves les plus insensés. Ce sont des gens qui vont jouer avec les bases de vibration, qui n'hésiteront pas à puiser dans les ténèbres, dans l'obscurité, à implorer les forces du mal.

Le pire c'est que ces gens parviennent à dissimuler pendant longtemps leur véritable nature, mais ils le font parce que ça sert leurs intérêts, ça leur facilite le travail pour atteindre leurs objectifs. Ils seront parfois même des idoles... jusqu'à ce qu'ils révèlent leur véritable nature et leurs véritables buts, ce qu'ils font immanquablement lorsqu'ils croient que plus personne n'est en mesure de contrecarrer leurs plans. À ce moment-là, il est généralement bien tard pour réagir.

Hitler, par exemple, était une personne qui avait une aura noire, et il est le parfait exemple pour illustrer le «fonctionnement» de son type. Il a réussi à s'imposer comme dirigeant politique, il a redonné l'espoir à un peuple, puis il l'a dominé et a bâti de grandes armées. Et, enfin, il a révélé sa nature profonde en déclenchant la guerre et en se livrant aux pires atrocités qui soit.

Mais, comme je l'ai dit précédemment, le noir peut être présent à un degré plus ou moins grand dans les auras d'autres couleurs. Il serait trop long d'expliquer ici en détail chacune des nuances et de ses effets, mais il est un fait que l'apparition de la couleur noire dans une aura n'est jamais de bon augure. Cela signifie que la personne en question se dirige vers les ténèbres, vers l'obscurité, et qu'elle risque de céder aux forces du mal, c'est-à-dire devenir une âme égarée.

CONCLUSION

Que dire en conclusion, tout en étant bref? Qu'il faut prendre conscience de la nature même de l'être humain parce que nous aurons toujours tendance à choisir la voie de la facilité et du plaisir, de préférence à celle de l'effort et de la peine. Nous préférerons bien souvent — et malheureusement — mettre nos énergies dans des rêves inatteignables plutôt que dans une réalité qui a la fâcheuse tendance à nous apparaître bien terne.

Cela nous conduit à faire bien des erreurs et à commettre des bêtises incroyables — les guerres n'en sont-elles pas les plus grandes? Heureusement, tout n'est pas perdu pour l'homme. Bien au contraire. Je l'ai dit à quelques reprises dans ce livre, et je le répète une dernière fois ici: l'homme apprend de ses erreurs. Et il ne cède pas facilement devant l'adversité.

Mais pour que le bon prenne le dessus sur le mauvais, le bien sur le mal, il faut que nous apprenions encore à mieux batailler, non pas les uns contre les autres, mais bien contre nous-même. Contre nos travers, nos défauts. Tant que l'homme continuera d'être habité par l'espoir, il continuera de croire en la possibilité d'un monde meilleur.

VIVRE SA RÉALITÉ

Mais pour accéder à ce monde de justice et de bonheur, il faut parfois traverser des périodes plus sombres — je crois d'ailleurs que nous en vivons une présentement. La vie du monde n'est pas différente de notre propre vie, il n'y a que l'échelle qui est différente. Nous avons peut-être cent ans à vivre dans cette vie présente, mais le monde a encore des millions d'années devant lui. Il ne faut pas sombrer dans le pessimisme, mais il ne faut pas non plus se fermer les yeux et se complaire dans les rêves. Il faut accepter et vivre la réalité.

Je fais face constamment à ce dilemme. Lorsqu'on vient me voir en consultation, je pourrais taire des vérités douloureuses mais est-ce que cela servirait vraiment à quelque chose? Je ne le crois pas. C'est d'ailleurs la raison pour laquelle je préfère dire ce que je ressens, ce que mes Maîtres spirituels me communiquent. Je dis ma perception et mon interprétation des auras. Même si je crois qu'il est parfois douloureux de réaliser que certaines choses sont des vérités, je suis persuadé que le fait de les savoir nous aide à devenir meilleur, à retrouver l'équilibre.

Plutôt que de se culpabiliser, je crois que nous devons nous corriger.

Voilà d'ailleurs pourquoi je suis intimement convaincu que la connaissance de nos vies antérieures, tout au moins des événements de ces vies antérieures qui ont une relation de cause à effet dans notre vie présente, peut nous être utile.

Je terminerai avec ce témoignage que j'ai reçu d'un homme venu un jour me consulter; je crois que sa lettre peut résumer l'expérience que chacun de nous est appelé à vivre à un moment ou à un autre de son existence. Une lettre qui est aussi, et surtout, remplie d'espoir.

« Je livre ce présent témoignage en espérant qu'il pourra servir à aider ceux et celles qui cherchent à trouver au plus profond d'eux-mêmes la paix du cœur, de l'âme et de l'esprit.

« D'aussi loin que je puisse me souvenir, j'ai continuellement cherché à trouver quel était le sens de ma vie. Depuis mon enfance, depuis mes quatre ou cinq ans, je me rappelle avoir vécu ce que j'appelais des «temps morts» mais qui n'étaient finalement que le mal à l'âme. J'appelais ces périodes des «temps morts», d'une part parce que je ne connaissais pas l'expression mal à l'âme, et d'autre part parce que, dans ces moments, le temps semblait arrêter de couler. Les secondes s'égrenaient si lentement que j'avais l'impression que je ne finirais jamais d'avoir les pensées et les sentiments mélancoliques que je ressentais vis-à-vis de cette existence que je comprenais mal, une existence vide de joie, vide de sens.

« Et comme je n'arrivais pas à comprendre ma propre vie, il était difficile pour les autres de

me comprendre. Cette carence dans mes relations n'améliorait pas les choses. J'étais quelqu'un tantôt de colérique, révolté, difficile, et
tantôt de sensible, renfermé, peureux. Pourtant,
je n'ai jamais manqué ni d'amour ni de soins —
mes parents m'ont donné tout ce dont j'avais besoin et même plus.

« J'étais ainsi, c'est tout.

« De peur de ne pas me réaliser, de rater ma
vie, j'avançais avec témérité et de façon désor-
ganisée sur des chemins sinueux. Malgré toute
cette confusion que je sentais en moi, je ressentais le besoin de me rendre utile, de servir les
autres, croyant que je trouverais là quelque chose
qui ressemblait au bonheur. Malgré tous mes
efforts, je n'ai jamais réussi à trouver ce que je
cherchais. Faisais-je fausse route? Passais-je à
côté de LA solution?

« Aujourd'hui, j'ose affirmer que «oui». J'ai
vécu des situations pénibles, j'ai perdu du temps,
j'ai perdu de l'argent. Bref, j'ai été une victime de
la vie.

« C'est après une consultation avec monsieur
Lelus au cours de laquelle il m'a révélé mes vies
antérieures que j'ai commencé à trouver les réponses que je cherchais.

« À l'écoute du récit extraordinaire de mes
vies antérieures, je dois admettre que je me suis
totalement reconnu, autant dans les situations et
actions passées que dans les traits de ma personnalité qui m'ont toujours caractérisé.

« Tout doucement, j'ai pris conscience de ce que je suis. J'ai pris conscience que je devais faire l'effort, non seulement d'exister, mais de me réaliser pleinement dans les moments présents de ma vie, tout autant dans mes moments de joie que dans mes moments de peine, dans mes réussites autant que dans mes échecs. Il y a toujours une leçon à tirer de chaque chose. Je suis donc décidé de consacrer cette vie présente à m'épanouir et à m'enrichir pour ma satisfaction personnelle. J'ai toute une vie pour acquérir des connaissances, vivre des expériences et même améliorer mon corps physique. J'ai décidé que tout ce que j'avais reçu dans cette vie, j'allais le faire fructifier.

« J'ai compris qu'il est facile de se perdre tant et aussi longtemps qu'on ne s'est pas vraiment découvert. Mais, avec le temps, j'ai compris que ma place sur cette terre est importante, que je dois la prendre et exercer pleinement mon libre arbitre.

« Je pourrais vous entretenir encore longtemps des changements qui ont marqué ma vie grâce à la compréhension de mes vies antérieures. Mais puisque chaque personne sur cette terre vivra des expériences uniques tout au long de sa vie, je laisserai donc à chacun de ceux et celles qui entreprendront une véritable recherche d'eux-mêmes, le soin d'apprécier le support qu'est la connaissance de ses vies antérieures pour mieux comprendre leur vie présente. »

J'ajouterai à ce dernier témoignage que toutes les personnes qui sont venues me consulter ont généralement appris beaucoup sur elles-mêmes; non seulement sur leurs vies antérieures et leurs expériences passées, mais aussi, par voie de conséquence — et c'est ce qui est le plus important — sur leur vie présente. Car pour vivre heureux, et vivre pleinement notre vie présente, il faut indéniablement connaître et avoir assimilé ses expériences antérieures. Ce n'est qu'en connaissant les causes de nos problèmes que nous pouvons réellement trouver les solutions.

UN DERNIER MOT

La vie céleste de l'âme peut durer des centaines ou milliers d'années. selon son rang et sa force d'impulsion. Mais il n'appartient qu'aux plus parfaites, aux plus sublimes, à celles qui ont franchi le cercle des générations, de la prolonger indéfiniment. Celles-là n'ont pas seulement atteint le repos temporaire, mais l'action immortelle dans la vérité; elles ont créé leurs ailes. Elles sont inviolables car elles sont la lumière; elles gouvernent les mondes, car elles voient à travers. Quant aux autres, elles sont amenées par une loi inflexible à se réincarner pour subir une nouvelle épreuve et s'élever à un échelon supérieur ou tomber plus bas, si elles défaillent.

Comme la vie terrestre, la vie spirituelle a son commencement, son apogée et sa décadence. Lorsque cette vie est épuisée, l'âme se sent prise de lourdeur, de vertige

et de mélancolie. Une force invincible l'attire de nouveau vers les luttes et vers le souffrances de la terre. Ce
désir est mêlé d'appréhensions terribles et d'une immense douleur de quitter la vie divine. Mais le temps est
venu; la loi doit s'accomplir. La lourdeur augmente, un
obscurcissement s'est fait en elle-même. Elle ne voit plus
ses compagnons lumineux qu'à travers un voile, et ce
voile toujours plus épais lui fait pressentir la séparation
imminente. Elle entend leurs tristes adieux; les larmes
des bienheureux aimés la pénètrent comme une rosée
céleste qui laissera dans son coeur la soif ardente d'un
bonheur inconnu. Alors — avec serments solennels —
elle promet de se souvenir...se souvenir de la lumière
dans un monde de mensonge, de l'amour dans un monde
de haine. — Le revoir, la couronne immortelle n'est qu'à
ce prix! — Elle se réveille dans une atmosphère épaisse.
Astre éthéré, âmes diaphanes, océans de lumière, tout a
disparu. La revoilà sur terre, dans le gouffre de la naissance et de la mort. Cependant, elle n'a pas encore perdu
le souvenir céleste, et le guide ailé encore visible à ses
yeux lui désigne la femme qui sera sa mère. Celle-ci porte
en elle le germe d'un enfant. Mais ce germe ne vivra que
si l'esprit vient l'animer. Alors s'accomplit pendant neuf
mois le mystère le plus impénétrable de la vie terrestre,
celui de l'incarnation et de la maternité.

    La fusion mystérieuse s'opère lentement, savam-
ment, organe par organe, fibre par fibre. À mesure que
l'âme se plonge dans cet antre chaud qui bruit et qui
fourmille, à mesure qu'elle se sent prise dans les méan-
dres des viscères aux mille replis, la conscience de sa vie
divine s'efface et s'éteint car, entre elle et la lumière d'en

haut, s'interposent les ondes du sang, les tissus de la chair qui l'étreignent et la remplissent de ténèbres. Déjà cette lumière lointaine n'est plus qu'une lueur mourante. Enfin, une douleur la comprime, la serre dans un étau; une convulsion sanglante l'arrache à l'âme maternelle et la cloue dans un corps palpitant. — L'enfant est né, misérable effigie terrestre, et il en crie d'épouvante. Mais le souvenir céleste est rentré dans les profondeurs occultes de l'Inconscient. Il ne revivra que par la Science ou par la Douleur, par l'Amour ou par la Mort!

La loi de l'incarnation et de la désincarnation nous fait donc découvrir le véritable sens de la vie et de la mort. elle constitue le noeud capital dans l'évolution de l'âme, et nous permet de la suivre en arrière et en avant jusque dans les profondeurs de la nature et de la divinité. Car cette loi nous révèle le rythme et la mesure, la raison et le but de son immortalité. D'abstraite ou de fantastique, elle la rend vivante et logique, en montrant les correspondances de la vie et de la mort. La naissance terrestre est une mort au point de vue spirituel, et la mort est une résurrection de l'âme, et chacune des deux est à la fois conséquence et explication de l'autre. Quiconque s'est pénétré de ces vérités, se trouve au coeur des mystères, au centre de l'initiation.

Mais, dira-t-on, qu'est-ce qui nous prouve la continuité de l'âme, de la monade, de l'entité spirituelle à travers toutes ces existences, puisqu'elle en perd successivement la mémoire? Et qu'est-ce qui nous prouve, répondrons-nous, l'identité de notre personne pendant la veille et pendant le sommeil? Vous vous réveillez chaque matin d'un état aussi étrange, aussi inexplicable que la mort, vous ressuscitez de ce néant pour y retomber le soir. Était-ce le néant? Non; car vous avez rêvé, et vos rêves ont été pour vous aussi réels que la réalité de la veille. Un changement des conditions physiologiques du cerveau a modifié les rapports de l'âme et du corps, et déplacé votre point de vue psychique. Vous étiez le même individu, mais vous vous trouviez dans un autre milieu et vous meniez une autre existence. Chez les magnétisés, les somnambules et les clairvoyants, le sommeil développe des facultés nouvelles qui nous semblent miraculeuses, mais qui sont des facultés naturelles de l'âme détachée du corps. une fois réveillés, ces clairvoyants ne se souviennent plus de ce qu'ils ont vu, dit et fait pendant leur sommeil lucide; mais ils se rappellent parfaitement, dans un de leurs sommeils, ce qui est arrivé dans le sommeil précédent, et prédisent parfois, avec une exactitude mathématique, ce qui arrivera dans le prochain. Ils ont donc comme deux consciences, deux vies alternées entièrement distinctes, mais dont chacune a sa continuité rationnelle, et qui s'enroulent autour d'une même individualité comme des cordons de couleurs diverses autour d'un fil invisible.

C'est donc en un sens très profond que les anciens poètes initiés ont appelé le sommeil le frère de la mort. Car un voile d'oubli sépare le sommeil et la veille comme la naissance et la mort, et, de même que notre vie terrestre se divise en deux parts toujours alternées, de même l'âme alterne, dans l'immensité de son évolution cosmique, entre l'incarnation et la vie spirituelle, entre la terre et les cieux. Ce passage alternatif d'un plan de l'univers à l'autre, ce renversement des pôles de son être

n'est pas moins nécessaire au développement de l'âme
que l'alternative de la veille et du sommeil est nécessaire
à la vie corporelle de l'homme. Nous avons besoin des
ondes du Léthé en passant d'une existence à l'autre.
Dans celle-ci, un voile salutaire nous cache le passé et
l'avenir. Mais l'oubli n'est pas total et la lumière passe à
travers le voile. Les idées innées prouvent, à elles seules,
une existence antérieure. Mais il y a plus: nous naissons
avec un monde souvenances vagues, d'impulsions mys-
térieuses, de pressentiments divins. Il y a, chez les enfants nés de parents doux et tranquilles, des irruptions de
passions sauvages que l'atavisme ne réussit pas à expliquer, et qui viennent d'une précédente existence. Il y
a parfois, dans les vies les plus humbles, des fidélités
inexpliquées et sublimes à un sentiment à une idée. Ne
viennent-elles pas des promesses et des serments de la
vie céleste? Car le souvenir occulte que l'âme en a gardé
est plus fort que toutes les raisons terrestres. Selon
qu'elle s'attache à ce souvenir ou qu'elle l'abandonne,
on la voit vaincre ou succomber. La vraie foi est cette
muette fidélité de l'âme à elle-même. On conçoit, pour
cette raison, que Pythagore, ainsi que tous les théoso-
phes, aient considéré la vie corporelle comme une
élaboration nécessaire de la volonté, et la vie céleste
comme une croissance spirituelle et un accomplisse-
ment.

Les vies se suivent et ne se ressemblent pas, mais elles
s'enchaînent avec une logique impitoyable. Si chacune
d'elles a sa loi propre et sa destinée spéciale, leur suite est
régie par une loi générale qu'on pourrait appeler la
répercussion des vies: la loi appelée Karma par les

brahmanes ou les bouddistes. D'après cette loi, les actions d'une vie ont leur répercussion fatale dans la vie suivante. Non seulement l'homme renaîtra avec les instrincts et les facultés qu'il a développés dans sa précédente incarnation, mais le genre même de son existence sera déterminé en grande partie par le bon ou le mauvais emploi qu'il aura fait de sa liberté dans sa vie précédente. Pas de parole, pas d'action qui n'ait son écho dans l'éternité, dit un proverbe. Selon la doctrine ésotérique, ce proverbe s'applique à la lettre d'une vie à l'autre.

Si cette aventure dans votre vie antérieure vous intéresse, si vous croyez avoir quelque chose à apprendre de ces «leçons du passé», je ne peux que vous inviter à communiquer avec moi afin que nous puissions, ensemble, chercher à aller plus loin pour que vous puissiez acquérir une meilleure connaissance de vous-même et puissiez avoir accès à une vie heureuse, riche et prospère. Et libre.

Commandez notre catalogue
et recevez, en plus,

UN LIVRE CADEAU
et de la documentation
sur nos nouveautés *.

Remplissez et postez ce coupon à
**LIVRES À DOMICILE 2000, C.P. 325, Succursale
Rosemont, Montréal (Québec) CANADA   H1X 3B8**

LES PHOTOCOPIES ET LES FAC-SIMILÉS NE SONT PAS ACCEPTÉS.
COUPONS ORIGINAUX SEULEMENT.

Allouez de 3 à 6 semaines pour la livraison.
* En plus de recevoir le catalogue, je recevrai un livre au choix du départe-
ment de l'expédition. / Offre valable pour les résidants du Canada
et des États-Unis seulement. / Pour les résidents des États-Unis
d'Amérique, les frais de poste sont de 11 \$ / Un cadeau par achat de
livre et par adresse postale. / Cette offre ne peut être jumelée à
aucune autre promotion. / Certains livres peuvent être légèrement
défraîchis.

Comment l'âme se réincarne (#500)

Votre nom: ....

Adresse: ....

....

Ville: ....

Province/État ....

Pays: ....Code postal: ....

Date de naissance: ....

Comment l'âme se réincarne (#500)

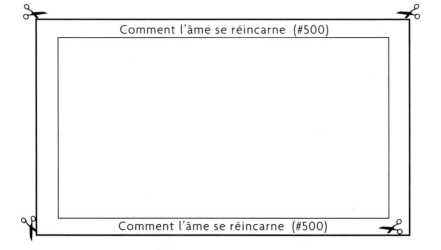

Comment l'âme se réincarne (#500)

Comment l'âme se réincarne (#500)